We Learn
Polish

D0096916

Barbara Bartnicka
Wojciech Jekiel
Marian Jurkowski
Danuta Wasilewska
Anna Weselińska
Krzysztof Wrocławski

English version:
Anna Weselińska

We Learn Polish

An Elementary Course

1

Texts

WIEDZA POWSZECHNA
Warszawa

REVIEWED BY

Professor MIECZYSŁAW SZYMCZAK

Professor ZUZANNA TOPOLIŃSKA
Associate professor ANDRZEJ KOPCZYŃSKI

Illustrations
ZBIGNIEW LENGREN

Cover and title-page
JAROSŁAW JASIŃSKI

Wydawnictwo prowadzi sprzedaż wysyłkową książek za zaliczeniem pocztowym.

PW „Wiedza Powszechna"
ul. Jasna 26, 00-054 Warszawa, tel. (0-22) 827 07 99, fax w. 131
e-mail: wiedza@medianet.pl
Wydanie VI   2002 r.
Druk i oprawa: Poznańskie Zakłady Graficzne SA
Zam. 70619/02

ISBN 83-214-0842-7

Contents

5

Abbreviations

abbr	— abbreviation		*Instr*	— instrumental
Acc	— accusative		*Loc*	— locative
attrib	— attributive		*masc*	— masculine
conj	— conjunction		*Nom*	— nominative
Dat	— dative		*perf*	— perfective
dim	— diminutive		*pers*	— person
eg	— for example		*pl*	— plural
fem	— feminine		*sb*	— somebody
Gen	— genitive		*sth*	— something
inf	— infinitive		*usu*	— usually
int	— interjection			

Preface

The textbook *We Learn Polish* consists of two parts:
1) reading texts and dialogues,
2) grammar and usage notes and exercises.

This book contains reading texts and dialogues which are written in a simple language frequently heard in everyday situations. The texts introduce basic grammatical forms and syntactic structures which are necessary for producing utterances in Polish. Their vocabulary is limited to about 2000 words selected from the basic word list given in *Słownik podstawowy języka polskiego dla cudzoziemców* by B. Bartnicka and R. Sinielnikoff, published by Wydawnictwa Uniwersytetu Warszawskiego in 1979 (this dictionary contains about 5000 entries).

Each text is followed by a list of words used for the first time in the textbook. The index of these words is given at the end of this volume. Each word is followed by the number of the text in which the given word first appears.

The vocabulary range used in the texts is extended in the tables which are introduced for a number of subjects. Words from these tables are marked in the index with the letter T and the number of the table. Some of these tables are illustrated.

In addition to the reading texts and dialogues which introduce basic vocabulary and grammatical structures we have also introduced 10 poetic texts written by the leading Polish poets of the 20th century. These texts are not included in the successive lesson numbers nor are they supplied with grammar and usage notes since they are not meant to be used for grammatical and vocabulary exercises; they are only used as a kind of interlude to give variety to the textbook. The degree of language difficulty of these poetic texts is not exceedingly different from that of the reading texts and they can be understood by early intermediate learners for whom reading a literary text in the original may be a source of additional interest and satisfaction. The vocabulary of these poems is marked with the letter P in the index.

At the end of the volume there are also the lyrics and music of a few most popular Polish songs.

The starting point for the presentation of grammatical material is always a grammatical category and not a single form or structure. Adopting the gradation of difficulty as a guiding principle we have usually introduced, first of all, language categories which are common for most European languages and then, gradually, forms characteristic of the Polish language.

The second part of the textbook *We Learn Polish*, which contains notes on grammar and usage and exercises, is closely integrated with the texts provided in this volume. Lexical and grammatical material introduced in the texts should, then, be reinforced and assimilated through the exercises provided in the second part of the textbook.

By reading these texts a learner of Polish as a foreign language can start to assimilate natural language utterances, initially even without reflecting on the grammatical structure of the language, which can be achieved later, after studying grammar and usage notes. This organization of the textbook makes it possible for the learner to develop the ability to use Polish in natural situations.

The English version of this textbook can be used by learners working on their own, without the help of a language teacher.

The textbook is accompanied by three cassettes with listening material: dialogues, reading texts, poems and songs. The cassettes have been recorded by „Polskie Nagrania".

Authors

1
To jest Warszawa

To jest Polska.

illustr. U. Mazurek

To jest Warszawa.

photo L. Zielaskowski

Co to jest? To jest pomnik.

Kto to jest? To jest Kopernik.
To jest pomnik Kopernika.

Co to? To pomnik.

Kto to? To Chopin.
Czyj to pomnik?
To pomnik Chopina.

Co to jest? To jest ulica.
Co to za ulica? To jest ulica Kopernika.

photo M. Jringh

Co to za budynek? To jest teatr.
Co to za teatr? To Teatr Narodowy.

photo M. Portus

To jest kino, a to szkoła. To jest uniwersytet.
To jest student. To jest studentka.
To jest tramwaj, a to autobus. To jest auto.

13

To jest Zamek. To plac Zamkowy.
Co to za pomnik? To jest kolumna króla Zygmunta.

Vocabulary

a and, but
auto car
autobus bus
budynek building
Chopin*
co what
czyj whose
jest (he, she, it) is
kino cinema
kolumna column
Kopernik Copernicus
król king
kto who
narodow/y, ~a, ~e national
plac square, circus

Polska Poland
pomnik monument, statue
student student
studentka student (a woman)
szkoła school
teatr theatre
to this, it
tramwaj tram, streetcar
ulica street
uniwersytet university
Warszawa Warsaw
zamek castle
zamkow/y, ~a, ~e of a castle, castle
  (attrib)
Zygmunt Sigismund

---

* In Polish this name is pronounced Šopen, the genitive case Šopena.

14

Phrases

Co to za...? what is this...?

2
Kto to jest?

1. *A*: Kto to jest?
   B: To jest pan Nowak, a to pan Kowalski.

A: A to kto?
B: To jest pani Nowakowa, żona pana Nowaka. A to pani Kowalska.

2. *A*: Czy to jest pan Kowalski?
   B: Tak, to jest pan Jan Kowalski.

3. *A*: Czy to pan Kowalski?
   B: Nie. To nie jest pan Kowalski.
   A: A kto to?
   B: To pan Lech Nowak.

15

4. *A*: Jaki jest pan Nowak?
  B: Pan Nowak jest wysoki.
  A: A pan Kowalski?
  B: Pan Kowalski jest niski.

5. *A*: Jaka jest pani Nowakowa?
  B: Pani Nowakowa jest młoda i ładna.
  A: A pani Kowalska? Czy jest stara i brzydka?
  B: Nie! Pani Kowalska nie jest stara i brzydka, też jest młoda, ładna
  i zgrabna.

6. *A*: Czy ten niski pan to Jan Kowalski?
  B: Tak, to pan Jan.
  A: A czy ta młoda pani to Anna Kowalska?
  B: Nie, to nie pani Anna, to jest Danuta Nowakowa.
  A: Czy pani Anna jest wysoka?
  B: Nie, nie bardzo wysoka.

7. *A*: Jaki jest pan Leszek Nowak?
  B: Jest wysoki i przystojny.
  A: A pan Jan?
  B: Pan Kowalski jest niski. Nie jest przystojny, ale jest bardzo
  sympatyczny i wesoły.

Vocabulary

ale but
bardzo very
brzyd/ki, ~**ka,** ~**kie** ugly, plain
czy the question marker in general questions; *if, whether* in reported questions
i and
jaki, jaka, jakie what... like?
ładn/y, ~**a,** ~**e** pretty
młod/y, ~**a,** ~**e** young
nie no, not
nis/ki, ~**ka,** ~**kie** short, low
pan Mr, man, gentleman

pani Mrs, woman, lady
przystojn/y, ~**a,** ~**e** good-looking, hand-
  some
star/y, ~**a,** ~**e** old
sympatyczn/y, ~**a,** ~**e** agreeable, nice
tak yes
ten, ta, to this
też also, too, as well
wesoł/y, ~**a,** ~**e** cheerful, merry
wyso/ki, ~**ka,** ~**kie** tall
zgrabn/y, ~**a,** ~**e** well-built, shapely
żona wife

3
Jacek choruje

1. To jest Jacek Kowalski. Jacek to syn pana Jana. Dlaczego Jacek leży? Leży, bo nie jest zdrowy. Ma katar i kaszel. Jacek jest chory. Leży i czyta.

2. Co robi pani Kowalska? Pani Anna telefonuje. Pan Nowak słucha. Pan Nowak to lekarz.

3. Pan Nowak jest już tutaj. Ogląda gardło. Mówi: — Gardło jest czerwone.

4. Pan Nowak pisze. Zapisuje lekarstwo: syrop na kaszel.

5. Pani Anna kupuje lekarstwo. Płaci i wychodzi.

6. Jacek pije lekarstwo. Jakie jest to lekarstwo? Jest słodkie, ale nie jest smaczne. Kto lubi lekarstwo?

Vocabulary

bo because
choruje (he)is ill/sick
chor/y, ~a, ~e ill, sick, unwell

czerwon/y, ~a, ~e red
czyta (he) is reading/reads
dlaczego why

gardło throat
już already
kaszel cough
katar a cold, a runny nose
kupuje (he) is buying/buys
lekarstwo medicine, remedy
lekarz doctor, physician
leży (he) is lying/lies
lubi (he) likes
ma (he) has
mówi (he) says
na (+ *Acc* na kaszel) for (for a cough)
ogląda (he) is looking at/looks at, is examining/examines

pije (he) is drinking/drinks
pisze (he) is writing/writes
płaci (he) is paying/pays
robi (he) is doing/does
słod/ki, ~ka, ~kie sweet
słucha (he) is listening/listens
smaczn/y, ~a, ~e tasty
syn son
syrop syrup
telefonuje (he) is on the phone
tutaj here
wychodzi he is leaving/leaves
zapisuje (he) prescribes
zdrow/y, ~a, ~e healthy, well, fit

4

Jak mieszka pan Nowak?

A: Czy tu mieszka pan Lech Nowak?

B: Tak, to jest mieszkanie pana Nowaka. To jest przedpokój, tu wisi lustro, a tam stoi szafa. A to jest pokój pana Nowaka. Pokój jest duży i słoneczny. Są tu krzesła, stół, tapczan i fotel.
A: A co tam stoi?

B: To jest nowe biurko. Tu stoi lampa, leżą książki i gazety. Jest tu także radio. A tam jest okno i balkon.

A: Czy pan Nowak tu pracuje?

B: Tak, tu pracuje i odpoczywa.

A: A to co?

B: To kuchnia. Jest tutaj mała lodówka, są także białe szafki kuchenne.

A: A co jest tam?
B: Tam jest łazienka i toaleta.

A: A tam?
B: Pokój pani Nowak i pokój syna.
A: To mieszkanie jest bardzo ładne i wygodne.

Vocabulary

balkon balcony
biał/y, ∼**a,** ∼**e** white
biurko desk
duż/y, ∼**a,** ∼**e** big, large
fotel armchair
gazeta newspaper
jak? how
krzesło chair
książka book
kuchenn/y, ∼**a,** ∼**e** of a kitchen, kitchen, (*attrib*)
kuchnia kitchen
lampa lamp
lodówka fridge
lustro mirror, looking glass
łazienka bathroom
mał/y, ∼**a,** ∼**e** little, small
mieszka (he) lives
mieszkanie flat, apartment
now/y, ∼**a,** ∼**e** new

odpoczywa (he) is having/has a rest
okno window
pokój room
pracuje (he) works
przedpokój hall
radio radio
są (they) are
słoneczn/y, ∼**a,** ∼**e** sunny
stoi (it) stands
stół table
szafa wardrobe, cupboard
szafka (*dim*) (small) cupboard
ściana wall
także also
tam there
tapczan couch
toaleta lavatory, WC
tu here
wisi (it) hangs
wygodn/y, ∼**a,** ∼**e** comfortable

Table 1

MIESZKANIE — FLAT

balkon balcony
drzwi door
KUCHNIA KITCHEN
łazienka bathroom
okno window
podłoga floor

POKÓJ ROOM
PRZEDPOKÓJ HALL
sufit ceiling
ściana wall
toaleta lavatory

Table 1 (cont.)

KUCHNIA KITCHEN	POKÓJ ROOM	PRZEDPOKÓJ HALL
kran tap, faucet	biurko desk	lustro mirror
kuchenka cooker	fotel armchair	stolik small table
lodówka fridge	krzesło chair	szafa wardrobe
półka shelf	lampa lamp	walizka suitcase
szafka small cupboard	radio radio	wieszak hat/coat-stand,
zegar clock	stół table	hat and coat pegs
	tapczan couch	
	telefon telephone	
	telewizor TV set	

5
Gdzie mieszka pan Nowak?

Mamy adres pana Nowaka: ulica Prosta dwa, parter, mieszkanie numer jeden.

Pan Nowak mieszka w centrum. Ulica Prosta jest bardzo ładna: szeroka i spokojna. Rosną tu drzewa i są duże, zielone trawniki. Niedaleko jest piękny park — Ogród Saski.

photo K. Dobrowolski

Dom numer dwa to wysoki, długi, nowy blok. Otwieramy drzwi. Na prawo jest winda, na lewo schody. A tu mieszkanie numer jeden, tabliczka:

> Lech Nowak

i dzwonek. Dzwonimy. Otwiera wysoki, przystojny pan.
— Dzień dobry! Czy pan doktor Nowak?
— Dzień dobry! Tak, to ja.
— Mamy dla pana list: proszę!

> *Pan*
> *dr Lech Nowak*
>
> *ul. Prosta 2 m. 1*
> 01-234 ***Warszawa***
>
> *przez grzeczność*

— Dziękuję bardzo!
— Do widzenia!
— Do widzenia!
Wychodzimy. Teraz mamy wolny czas. Idziemy na spacer. Ogród Saski jest niedaleko.

Vocabulary

adres address
blok block of flats
centrum centre
czas time
daleko far
dla (+ *Gen* **dla pana**) for (for you)
dług/i, ~**a**, ~**ie** long
doktor doctor

do widzenia goodbye
drzewo tree
drzwi door
dwa two
dzień dobry good morning, good afternoon
dziękuję thank you
dzwonek doorbell
dzwonimy (we) ring (at the door)

23

gdzie? where
grzeczność courtesy
idziemy (we) are going/go
ja I
jeden one
list letter
mamy (we) have
na lewo left, to the left
na prawo right, to the right
niedaleko not far off, near by
numer number
ogród garden, park
Ogród Saski park in the centre of Warsaw
otwiera (he) opens
park park
parter ground floor

teraz - now

piękn/y, ~a, ~e beautiful
prost/y, ~a, ~e straight
proszę! here you are/here it is!
rosną (they) grow
schody stairs
spacer walk
spokojn/y, ~a, ~e quiet
szero/ki, ~ka, ~kie broad, wide
tabliczka nameplate
trawnik lawn
ul. = ulica street (*an abbreviation used in addressing letters*)
w in, at
winda lift, elevator
woln/y, ~a, ~e free
zielon/y, ~a, ~e green

Phrases

mam czas (I) have (plenty of) time
przez grzeczność by hand
wolny czas free time, leisure time

6
Kim jest ten pan?

A: Kim jest pan Kowalski?
B: Pan Kowalski jest inżynierem.
A: A kim jest pan Nowak?
B: Pan Nowak jest lekarzem.
A: Kto to jest?
B: To jest pani Anna. Pani Anna jest mężatką. Jest żoną pana Jana.
A: Kim jest pani Anna?
B: Jest dentystką.
A: A kto to jest?
B: To jest pani Danuta Nowak.

A: To pan Nowak jest żonaty?
B: Tak, jest żonaty. Pani Danuta jest żoną pana Nowaka. Pani Nowak jest nauczycielką.

Hotel • Recepcja

photo W. Rozmysłowicz

A: Jak się pan nazywa?
B: Nazywam się Nowak.
A: Już piszę: nazwisko — Nowak. A jak ma pan na imię?
B: Mam na imię Lech.
A: Jaki jest pana zawód?
B: Jestem lekarzem.
A: Stan cywilny?
B: Żonaty.
A: Narodowość?
B: Jestem Polakiem.
A: Obywatelstwo?
B: Polskie.
A: Miejsce zamieszkania?
B: Warszawa, ulica Prosta dwa, mieszkania jeden.

Vocabulary

dentystka dentist (a woman)
hotel hotel
imię name
inżynier engineer
mężatka a married woman
miejsce place
narodowość nationality
nauczycielka teacher (a woman)
nazwisko surname, last name

nazywa się (his) name is...
obywatelstwo citizenship
Polak Pole
Polka Pole (a woman)
pols/ki, ~ka, ~kie Polish
recepcja reception
zawód occupation
żonaty married (a man)

Phrases

ma na imię (his) name is...
miejsce zamieszkania (home) address
stan cywilny marital status

Table 2

ZAWODY I FUNKCJE — OCCUPATIONS

aktor actor		**nauczyciel**	} teacher	
aktorka actress		**nauczycielka**		
artysta } artist		**ogrodniczka** } gardener		
artystka		**ogrodnik**		
dentysta } dentist		**pisarka** } writer		
dentystka		**pisarz**		
górnik miner		**robotnica** } factory worker		
inżynier engineer		**robotnik**		
kierowca driver		**rolnik** farmer		
lekarka } doctor		**student** } student		
lekarz		**studentka**		
lektor } language teacher		**śpiewaczka** } singer		
lektorka		**śpiewak**		
lotnik pilot, airman		**urzędniczka** } clerk, executive		
malarka } painter		**urzędnik**		
malarz		**wykładowca** lecturer		

Table 3
NAZWY NARODOWOŚCI — NATIONALITIES

Amerykanin — Amerykanka American
Anglik — Angielka Englishman,
Englishwoman
Arab — Arabka Arab
Belg — Belgijka Belgian
Bułgar — Bułgarka Bulgarian
Chińczyk — Chinka Chinese
Czech — Czeszka Czech
Duńczyk — Dunka Dane
Estończyk — Estonka Esthonian
Fin — Finka Finn
Francuz — Francuzka Frenchman,
Frenchwoman
Grek — Greczynka Greek
Hindus — Hinduska Indian
Hiszpan — Hiszpanka Spaniard
Holender — Holenderka Dutchman,
Dutchwoman
Irlandczyk — Irlandka Irishman, Irish-
woman
Japończyk — Japonka Japanese

Kubańczyk — Kubanka Cuban
Litwin — Litwinka Lithuanian
Łotysz — Łotyszka Latvian
Murzyn — Murzynka Negro, Negress
Niemiec — Niemka German
Norweg — Norweżka Norwegian
Polak — Polka Pole
Portugalczyk — Portugalka
Portuguese
Rosjanin — Rosjanka Russian
Rumun — Rumunka Romanian
Słowak — Słowaczka Slovak
Szkot — Szkotka Scotsman, Scots-
woman
Szwajcar — Szwajcarka Swiss
Szwed — Szwedka Swede
Ukrainiec — Ukrainka Ukrainian
Węgier — Węgierka Hungarian
Włoch — Włoszka Italian
Żyd — Żydówka Jew, Jewess

7
Rodzina

> *ojciec + matka = rodzice*
> *syn + córka = dzieci*
> *mąż + żona = małżeństwo*
> *brat + siostra = rodzeństwo*

Państwo Nowakowie są małżeństwem. Pani Danuta jest żoną pana
Lecha. Jest także matką Jurka i Kasi.

Jurek jest bratem Kasi, a Kasia siostrą Jurka. Jurek i Kasia są rodzeństwem. Ojciec Kasi i Jurka jest lekarzem, a matka nauczycielką. Kasia jest jeszcze mała i jest uczennicą. Jurek jest już duży i jest studentem.

Kasia jest koleżanką Jacka. Jacek jest synem pani Anny i pana Jana. Pan Jan Kowalski jest mężem pani Anny i ojcem Jacka. Jacek jest jeszcze uczniem. Jest kolegą Kasi.

Vocabulary

brat brother
córka daughter
dziecko (*pl* **dzieci**) child (children)
jeszcze still, yet
kolega friend
koleżanka friend (a woman)
małżeństwo a married couple
matka mother
mąż husband

ojciec father
państwo Mr and Mrs
rodzeństwo brother(s) and sister(s), siblings
rodzice parents
rodzina family
siostra sister
student student
uczennica pupil, schoolgirl
uczeń pupil, schoolboy

8
Stare fotografie

Cała rodzina ogląda stare fotografie.

Jurek: Kto to jest?
Pani Nowakowa: To mój ojciec, a wasz dziadek.
Kasia: A kim był nasz dziadek?
Pani Nowakowa: Inżynierem.
Kasia: A to kto?
Pani Nowakowa: Ten pan z wąsami?
Kasia: Nie, tamten z brodą.
Pani Nowakowa: To wasz ojciec.
Pan Nowak: Byłem wtedy studentem.
Jurek: Kto to?
Pan Nowak: To moja matka.
Kasia: Nasza babcia? Jaka ładna!
Pan Nowak: Tak. Była wtedy młoda. A to moja siostra.
Kasia: Nasza ciotka?
Jurek: Tak, twoja kochana ciocia Ewa.
Kasia: A ten wysoki młody człowiek?
Pani Nowakowa: To mój brat, a wasz wuj.
Jurek: Chyba znam z widzenia tę dziewczynę.
Kasia: Tę tęgą brunetkę?
Jurek: Nie, tę szczupłą blondynkę.
Pan Nowak: Tę blondynkę znasz nie tylko z widzenia, ale i osobiście.
Kasia: To pewnie mama?
Pani Nowakowa: Byłam wtedy uczennicą liceum.

Vocabulary

babcia grandmother
blondyn blond, fair-haired man
blondynka blonde
broda beard
brunet black-haired man
brunetka brunette
był ⎱ (he, she) was
była ⎰
byłam (I — a woman) was
byłem (I — a man) was
cał/y, ~a, ~e whole, entire
chyba surely
ciocia auntie, aunty

ciotka aunt
człowiek man
dziadek grandfather
dziewczyna girl
fotografia photograph
kochan/y, ~a, ~e dear
liceum secondary school in Poland
mama mother
mój, moja, moje my
nasz, ~a, ~e our
nie tylko, ... ale i not only ... but also
pewnie surely, undoubtedly
szczupł/y, ~a, ~e slender, slim

30

tę/gi, ~ga, ~gie stout	wuj uncle
twój, twoja, twoje your	wujek uncle
wasz, ~a, ~e your	zna (he) knows
wąs, wąsy moustache	znam (I) know
wtedy then	znasz (you) know

Phrases

młody człowiek a young man
znam osobiście (I) am acquainted with sb
znam z widzenia (I) know sb by sight

9
Pani Kowalska robi zakupy

Pani Kowalska idzie do sklepu spożywczego po zakupy. Co kupuje pani Kowalska na śniadanie? Kupuje: mleko, cukier, chleb, bułki, masło, jajka.

A co na obiad? — Kartofle, pomidory, ryż, sałatę i śmietanę. Pani Kowalska idzie też do sklepu mięsnego po mięso i po kiełbasę na kolację.

Wraca do domu. Spotyka panią Danutę:

— Dzień dobry, pani Danuto!
— Dzień dobry pani.
— Dokąd pani idzie?
— Idę do pracy.
— A ja do domu. Mąż czeka na śniadanie. Do widzenia!
— Do widzenia.

Vocabulary

bułka a bread roll	do (+ *Gen* do sklepu) to (to the shop)
chleb bread	dokąd? where?
cukier sugar	dom home
czeka (he) is waiting/waits	idę (I) am going/go

ja I
jajko egg
kartofel (*pl* kartofle) potato (potatoes)
kiełbasa sausage
kolacja supper
masło butter
mięsn/y, ~a, ~e *here*: (a shop) selling meat
mięso meat
mleko milk
obiad dinner
po (+ *Acc* po mięso) for; (what for? — go to the butcher's to buy meat)

pomidor tomato
praca work
ryż rice
sałata lettuce
sklep shop
spotyka (she) meets
spożywcz/y, ~a, ~e *here*: (a shop) selling groceries
śmietana cream
śniadanie breakfast
wraca (she) goes back
zakupy shopping

Phrases

sklep mięsny the butcher's
sklep spożywczy the grocer's

10

Pani Kowalska jest dobrą gospodynią

Pani Kowalska przygotowuje śniadanie. Nakrywa stół obrusem. Na śniadanie jest kawa z mlekiem, są też bułki z masłem i jajecznica.

A co będzie na obiad?

Pani Kowalska gotuje zupę pomidorową z ryżem. Pan Kowalski bardzo lubi tę zupę. Na drugie danie będą kotlety, kartofle i sałata ze śmietaną. Pan Kowalski uważa, że zielona sałata jest smaczna i zdrowa. Na deser będzie kawa i ciastka z kremem.

A na kolację? Na kolację pani Kowalska robi kanapki z masłem i z szynką. Podaje herbatę z cytryną. Co jeszcze? — Aha, jeszcze owoce!

Vocabulary

aha! remembering sth: oh, yes!
będą (they) will be
będzie (it) will be

ciastko cake, pastry
cytryna lemon
danie course (part of a meal)

deser dessert
dobr/y, ~a, ~e good
dru/gi, ~ga, ~gie second
gospodyni housewife
gotuje (she) is cooking/cooks
herbata tea
jajecznica scrambled eggs
kanapka sandwich, an open sandwich
kawa coffee
kotlet chop, cutlet
krem cream

nakrywa (she) lays (the table-cloth)
obrus table-cloth
owoc fruit
podaje (she) serves
pomidorow/y, ~a, ~e tomato (*attrib*)
przygotowuje (she) is getting/gets sth ready
szynka ham
uważa (he) believes
z, ze (+ *Instr*) with
zupa soup
że that

Phrases

drugie danie the main course

Table 4
JARZYNY I POTRAWY — FOODSTUFFS AND DISHES

burak beetroot
cebula onion
fasola beans
groch peas
jajecznica scrambled eggs
kartofle potatoes
kompot compote
kotlet chop, cutlet

marchew carrot
mięso meat
ogórek cucumber
owoce fruit
sałata lettuce
warzywa vegetables
włoszczyzna soup vegetables
zupa soup

Table 5
NAKRYCIA — TABLE-WARE

dzbanek jug
filiżanka cup
kieliszek wineglass
kubek mug
łyżeczka teaspoon
łyżka tablespoon
nóż knife
półmisek dish

salaterka salad bowl
spodek saucer
szklanka glass
talerz plate
talerz głęboki soup plate
talerz płytki dinner plate
talerzyk dessert plate
widelec fork

11
Jurek ma dziewczynę

Jurek Nowak, syn pani Danuty i pana Leszka, jest studentem. Studiuje historię sztuki w Toruniu. Mieszka w domu akademickim. Szkolny kolega Jurka, Romek, studiuje prawo w Krakowie. Jurek pisze list do Romka:

List pierwszy

Maj

Mój drogi Romku!
Mam dziewczynę. Jest wspaniała! Ma na imię Zofia. Żenię się! Nie wierzysz? To poważna sprawa!
Zofia jest śliczna: jest wysoką blondynką (ty wiesz, że lubię tylko blondynki), ma krótkie i bardzo jasne włosy, jest bardzo zgrabna i ma długie, szczupłe nogi.
A jaka twarz! – rysy regularne, nos grecki, piękne zęby i usta, a oczy duże, niebieskie. Co jeszcze mogę dodać? Zofia jest elegancka, bardzo miła i ma przyjemny głos. Po prostu ideał! Po co się zastanawiać? Żenię się i już! Na ślub oczywiście zapraszam. Dokładną datę podam jeszcze. Wiwat stan małżeński!

Serdecznie Cię pozdrawiam –
Twój Jurek

Vocabulary

data date
dłu/gi, ~ga, ~gie long
do (+ *Gen*) to
do/dać (*perf*), **~dam, ~dasz** add, (I)'ll add, (you)'ll add
dokładn/y, ~a, ~e exact
dro/gi, ~ga, ~gie dear
eleganc/ki, ~ka, ~kie elegant
głos voice
grec/ki, ~ka, ~kie Grecian
historia history
ideał ideal
jasn/y, ~a, ~e fair, blond
Kraków Cracow
krót/ki, ~ka, ~kie short

maj May
małżeński married
mieć, mam, masz have, (I) have, (you) have
mił/y, ~a, ~e nice
móc, mogę, możesz can, (I) can, (you) can
niebies/ki, ~ka, ~kie blue
noga leg
nos nose
oko (*pl* **oczy**) eye (eyes)
oczywiście of course, certainly
pierwsz/y, ~a, ~e first
po co what for
po/dać (*perf*), **~dam, ~dasz** announce, let sb know, (I)'ll let..., (you)'ll let ...
po prostu simply

poważn/y, ~a, ~e serious
pozdrawi/ać, ~am, ~asz send one's greetings, (I) send..., (you) send...
prawo law
przyjemn/y, ~a, ~e nice, pleasant
regularn/y, ~a, ~e regular
rysy features
serdecznie sincerely
sprawa matter
studi/ować, ~uję, ~ujesz study, (I) study, (you) study
szkolny school (*attrib*)
sztuka art
śliczn/y, ~a, ~e lovely
ślub wedding
Toruń town on the Vistula, to the north of Warsaw; N. Copernicus was born there in 1473
twarz face

ty (*Acc* cię) you
tylko only
usta mouth
w (+ *Loc* w domu) in, at (at home)
wiedzieć, wiem, wiesz know, (I) know, (you) know
wierz/yć, ~ę, ~ysz believe, (I) believe, (you) believe
wiwat! hurrah!
włos hair
wspanial/y, ~a, ~e admirable, gorgeous
zaprasz/ać, ~am, ~asz invite, (I) invite, (you) invite
zastanawi/ać się, ~am, ~asz think sth over; consider, (I) consider, (you) consider
ząb (*pl* zęby) tooth (teeth)
żeni/ć się, ~ę, ~sz get married, (I)'m getting married, (you)'re getting married

Phrases

dom akademicki hall of residence, students' hostel, dormitory
stan małżeński marriage, state of being married

Table 6
CZĘŚCI CIAŁA — PARTS OF THE BODY

bok side
brew (*pl* brwi) eyebrow (eyebrows)
broda chin, beard
brzuch abdomen, belly
czoło forehead
dłoń palm
głowa head
kark nape
kolano knee
łokieć elbow
łydka calf
noga leg
nos nose
oko (*pl* oczy) eye (eyes)
palec (*pl* palce) finger (fingers), toe (toes)
paznokieć (*pl* paznokcie) nail (nails)

pierś breast, chest
pięta heel
plecy back
policzek (*pl* policzki) cheek (cheeks)
ramię (*pl* ramiona) shoulder (shoulders), arm (arms)
ręka (*pl* ręce) hand (hands)
rzęsa (*pl* rzęsy) eyelash (eyelashes)
stopa foot
szyja neck
ucho (*pl* uszy) ear (ears)
udo thigh
usta mouth
wąsy moustache
włosy hair
ząb (*pl* zęby) tooth (teeth)

głowa

ramię

pierś

brzuch

udo

kolano

łydka

stopa

pięta

ręka

noga

włosy →

ucho

policzek

kark

plecy

bok

czoło

oko

nos

usta

broda

szyja

łokieć

paznokieć
(paznokcie)

dłoń

palec
(palce)

oko

brew
(brwi)

rzęsa
(rzęsy)

wąsy

usta

ząb
(zęby)

12

Drugi list Jurka

Listopad

Kochany Romku!
Pytasz, kiedy mój ślub. Sprawa już jest nieaktualna. Wiesz, że jestem rozsądnym człowiekiem i nic nie robię pospiesznie. Niestety, Zofia nie nadaje się na żonę. Ma trudny charakter. Mówi za dużo, a słuchać nie lubi. Uważa, że zawsze ma rację. Poza tym ma chyba dwie lewe ręce, bo nic nie umie gotować. A ja lubię smacznie jeść. Urodę ma też przeciętną: blondynka (wiesz dobrze, że lubię brunetki), włosy rzadkie, nogi chude. Głowa za mała, szyja za krótka, nos za duży i oczy bezbarwne. Co tu zresztą można dodać? Sprawa jest jasna: ja zostaję nadal kawalerem, a Zofia – panną. Wiwat wolny stan!

Serdeczne pozdrowienia przesyła
Jurek

Vocabulary

aktualn/y, ∼a, ∼e timely
bezbarwn/y, ∼a, ∼e colourless
charakter character
chud/y, ∼a, ∼e thin, skinny
dobrze well
dużo much, a lot
dwa, dwie two
głowa head
got/ować, ∼uję, ∼ujesz cook, (I) cook, (you) cook
jeść eat
kawaler bachelor
kiedy when
lew/y, ∼a, ∼e left
listopad November
można (+ *Inf*) can
nad/awać się, ∼aję, ∼ajesz be fit (for sth), (I) am fit, (you) are fit
nadal still, to remain a...
nic nothing

nieaktualn/y, ∼a, ∼e off, broken off
niestety alas, unfortunately
panna an unmarried woman
pospiesznie in a hurry
poza tym besides, moreover
pozdrowienia greetings
przecietn/y, ∼a, ∼e average
przesył/ać, ∼am, ∼asz send, (I) send, (you) send
pyt/ać, ∼am, ∼asz ask, (I) ask, (you) ask
racja that which is right, good, just
ręce hands
rozsądn/y, ∼a, ∼e sensible
rzad/ki, ∼ka, ∼kie thin
serdeczn/y, ∼a, ∼e cordial
smacznie (eat) well
szyja neck
trudn/y, ∼a, ∼e difficult
umieć, umiem, umiesz know (how to do sth), (I) know, (you) know

uroda looks, appearance
za (dużo), za (duży) too (much), too (large/big)
zawsze always

zosta/wać, ~ję, ~jesz remain, (I) remain, (you) remain
zresztą anyway
zupełnie utterly

Phrases

mieć dwie lewe ręce be very clumsy
mieć rację be in the right
wolny stan the single state/life

Poem 1

Miłość

Wciąż rozmyślasz. Uparcie i skrycie.
Patrzysz w okno i smutek masz w oku...
Przecież mnie kochasz nad życie?
Sam mówiłeś przeszłego roku...

Śmiejesz się, lecz coś tkwi poza tem.
Patrzysz w niebo, na rzeźby obłoków...
Przecież ja jestem niebem i światem?
Sam mówiłeś przeszłego roku...

Maria Pawlikowska-Jasnorzewska

Vocabulary

coś something
koch/ać, ~am, ~asz love, (I) love, (you) love
lecz but
miłość love
mnie (*Acc of the personal pronoun* **ja**)
nad above, more than
niebo heaven
obłok cloud
oko (*pl* **oczy**) eye (eyes)
patrz/eć, ~ę, ~ysz look (I) look, (you) look
poza tem (**tem** *obsolete, now:* **poza tym**) besides, in addition
przecież after all
przeszł/y, ~a, ~e last
rok year

rozmyśl/ać, ~am, ~asz brood, (I) brood, (you) brood
rzeźba sculpture
sam, sama, samo *here*: you yourself
skrycie secretively
smutek sadness, grief
śmi/ać się, ~eję, ~ejesz laugh, (I) laugh, (you) laugh
świat world
tkwić, tkwię, tkwisz lie, remain in a certain state
uparcie stubbornly
w (+ *Acc* **w okno**) at (at a window)
wciąż (rozmyślasz) (you) keep (brooding)
życie life

13
Jedziemy na wycieczkę

Niedzielę spędzamy zawsze na świeżym powietrzu. Dziś jedziemy do Wilanowa. Idziemy na przystanek i czekamy na autobus. Czekamy krótko. Autobus już jedzie. W autobusie jest tłok. Jedziemy niezbyt długo. Wysiadamy w Wilanowie na ostatnim przystanku i zastanawiamy się, co robić dalej.

photo A. Rybczyński

Szybko decydujemy: najpierw idziemy na kawę i odpoczywamy po podróży. Potem idziemy zwiedzać barokowy pałac króla Jana Sobieskiego. Pałac pochodzi z drugiej połowy siedemnastego wieku. Wchodzimy do pałacu. Oglądamy wspaniałe komnaty, zabytkowe meble i galerię portretu staropolskiego.

Wreszcie wychodzimy z pałacu i idziemy do parku. Spacerujemy po alejkach.

Wieczorem wracamy do domu. Wychodzimy z parku i idziemy na przystanek. Wsiadamy do autobusu i jedziemy.

Vocabulary

alejka alley, path, walk
barokow/y, ~a, ~e baroque
dalej next, afterwards
decyd/ować, ~uję, ~ujesz decide, (I) decide, (you) decide
długo long
dziś today
galeria gallery
iść, idę, idziesz go (walk), (I) go, (you) go
jechać, jadę, jedziesz go (by bus), (I) go, (you) go
komnata state apartment
krótko a short time
meble furniture
najpierw first (of all)
niedziela Sunday
niezbyt not very
odpoczyw/ać, ~am, ~asz have a rest, (I) have a rest, (you) have a rest
ostatni, ~a, ~e last
pałac palace
po (+ *Loc* po alejkach) along (along the paths)
po (podróży) after (the trip)
pocho/dzić, ~dzi date back to, (it) dates back to
podróż trip, journey
połowa half
portret portrait

potem next, then, afterwards
powietrze air
przystanek bus-stop
siedemnast/y, ~a, ~e seventeenth
spacer/ować, ~uję, ~ujesz walk, (I) walk, (you) walk
spędz/ać, ~am, ~asz spend, pass, (I) spend, (you) spend
staropols/ki, ~ka, ~kie old Polish
szybko quickly
śwież/y, ~a, ~e fresh
tłok crowd
wchodz/ić, ~ę, ~isz enter, (I) enter, (you) enter
wieczorem in the evening
wiek century
wreszcie at last
wsiad/ać, ~am, ~asz get on sth, (I) get on, (you) get on
wycieczka trip
wysiad/ać, ~am, ~asz get off, (I) get off, (you) get off
z (+ *Gen* z pałacu) from (from the palace)
zabytkow/y, ~a, ~e antique, historical
zaczyn/ać, ~am, ~asz begin, (I) begin, (you) begin
zwiedz/ać, ~am, ~asz see, sightsee, visit, (I) see, (you) see

Phrases

świeże powietrze fresh air

14

U lekarza

Do gabinetu pana Leszka Nowaka przychodzi pacjent.

Pacjent: — Dzień dobry, panie doktorze.

Lekarz: — Dzień dobry panu. Jak się pan czuje?

P.: Niedobrze. Chyba jestem chory.

L.: Nie wygląda pan źle. Przeciwnie, wygląda pan bardzo dobrze.

P.: Nie jestem jednak zdrowy.

L.: Ma pan temperaturę?

P.: Nie. Nie mam temperatury.

L.: Puls ma pan normalny. A co panu dolega? Czy ma pan apetyt?

P.: Nie mam apetytu. I nie mogę spać wieczorem.

L.: Czy często boli pana głowa?

P.: Nie. Bardzo rzadko.

L.: A żołądek?

P.: Też nie.

L.: A co pana boli? Serce? Wątroba? Gardło?

P.: Nic nie boli. Ale nie czuję się dobrze. Nie mam apetytu.

L.: A ile razy dziennie pan jada?

P.: Jem: śniadanie, drugie śniadanie, obiad, podwieczorek i kolację. Tylko pięć razy.

L.: Aż pięć? To dużo. A czy zawsze chodzi pan spać wcześnie?

P.: Zwykle oglądam cały program telewizyjny, jem kolację i idę spać.

L.: A kiedy pan wstaje?

P.: Nie lubię wstawać wcześnie. Lubię długo spać. Rano śpię bardzo dobrze.

L.: Już wiem, jak pana leczyć. Za długo ogląda pan telewizję i za długo śpi. Za dużo pan waży, bo za często pan je. Wystarczy śniadanie, obiad i kolacja — trzy posiłki dziennie. Proszę wcześnie jeść kolację i potem chodzić na długie spacery. Zapisuję panu lekarstwo.

Recepta:

Vocabulary

apetyt appetite
aż (*particle*) as many as
boleć, 3 pers boli ache, pain, hurt
cho/dzić, ~dzę, ~dzisz go (walk), (I) go, (you) go
często frequently
czuć się, czuję się, czujesz się feel, (I) feel, (you) feel
dolegać, 3 pers dolega be the matter (with)
dziennie (3 times) a day
gabinet surgery
ile how many
jad/ać, ~am, ~asz eat, (I) eat, (you) eat
jednak yet, nevertheless
lecz/yć, ~ę, ~ysz treat, (I) treat, (you) treat
niedobrze not well
normaln/y, ~a, ~e normal
pacjent patient
pięć five
podwieczorek afternoon tea
posiłek meal
program programme
przeciwnie on the contrary
przycho/dzić, ~dzę, ~dzisz come, (I) come, (you) come
puls pulse

rano in the morning
raz once
recepta prescription
ruch exercise
rzadko seldom
serce heart
słońce sun
spać, śpię, śpisz sleep, (I) sleep, (you) sleep
telewizja television
telewizyjn/y, ~a, ~e television, TV (*attrib*)
temperatura temperature, fever
trzy three
u (+ *Gen* **u lekarza**) at (at the doctor's)
waż/yć, ~ę, ~ysz weigh, (I) weigh, (you) weigh
wątroba liver
wcześnie early
woda water
wst/awać, ~aję, ~ajesz get up, (I) get up, (you) get up
wygląd/ać, ~am, ~asz look, (I) look, (you) look
wystarczyć, 3 pers wystarczy be enough
zaraz at once, right now
zwykle usually
źle ill, unwell
żołądek stomach

Phrases

chodzić (chodzę) spać go to bed (I go to bed)
co panu (pani) dolega? what is the matter with you?
drugie śniadanie literally: second breakfast; a snack taken during the morning
ile razy? how many times?
iść (idę) spać go to bed (I'm going to bed)
jak się pan (pani) czuje? how are you feeling?
mieć apetyt have a good appetite
mieć temperaturę have/run a temperature
panie doktorze! doctor!

15

Żaba

Pewna żaba
Była słaba,
Więc przychodzi do doktora
I powiada, że jest chora.
Doktor włożył okulary,
Bo już był cokolwick stary,
Potem ją dokładnie zbadał,
No, i wreszcie tak powiada:

„Pani zanadto się poci,
Niech pani unika wilgoci,
Niech pani się czasem nie kąpie,
Niech pani nie siada przy pompie,
Niech pani deszczu unika,
Niech pani nie pływa w strumykach,
Niech pani wody nie pija,
Niech pani kałuże omija,
Niech pani nie myje się z rana,
Niech pani, pani kochana,
Na siebie chucha i dmucha,
Bo pani musi być sucha!"
Wraca żaba od doktora,
Myśli sobie „Jestem chora,
A doktora chora słucha,
Mam być sucha — będę sucha!"
Leczyła się żaba, leczyła,
Suszyła się długo, suszyła,
Aż wyschła tak, że po troszku
Została z niej garstka proszku...

Jan Brzechwa

Vocabulary

aż (*conjunction*) until, till
być be
chuch/ać, ~ am, ~ asz nurse, (I) nurse, (you) nurse
cokolwiek somewhat, a little bit
czasem sometimes
deszcz rain
dmuch/ać, ~ am, ~ asz blow, (I) blow, (you) blow
dokładnie thoroughly, carefully
garstka (*dim*) handful
ją (*Acc of the feminine personal pronoun* **ona**)
kałuża puddle
kąpać się, kąpię się, kąpiesz się bathe, (I) bathe, (you) bathe
musieć, muszę, musisz must, (I) must, (you) must

myć się, myję się, myjesz się wash, (I) wash, (you) wash
myśleć, myślę, myślisz think, (I) think, (you) think
niech let, don't let
no well (*int*)
od (+ *Gen*) from
okulary glasses, spectacles
omij/ać, ~ am, ~ asz pass round, avoid, (I) pass round, (you) pass round
pewien, pewna, pewne certain
pij/ać, ~ am, ~ asz drink (regularly), (I) drink, (you) drink
pływ/ać, ~ am, ~ asz swim, (I) swim, (you) swim
pocić się, pocę się, pocisz się perspire, (I) perspire, (you) perspire

44

pompa (water) pump
powiad/ać, ~ am, ~ asz say, (I) say, (you) say
proszek powder, dust
przy (+ *Loc* **przy pompie**) by, near (by the pump)
siad/ać, ~ am, ~ asz sit, (I) sit, (you) sit
siebie, sobie oneself
słab/y, ~ a, ~ e weak
słuch/ać, ~ am, ~ asz obey, (I) obey, (you) obey
strumyk brook
such/y, ~ a, ~ e dry
susz/yć się, ~ ę, ~ ysz dry, (I) dry, (you) dry

unik/ać, ~ am, ~ asz avoid, (I) avoid, (you) avoid
wilgoć moisture, damp
włoż/yć, ~ ę, ~ ysz put on, (I) put on, (you) put on
wysch/nąć, ~ nę, ~ niesz dry up, (I) dry up, (you) dry up
zanadto too
zbad/ać, ~ am, ~ asz examine, (I) examine, (you) examine
z niej (z + *Gen of the feminine personal pronoun* **ona**) of her
zost/ać, ~ anę, ~ aniesz remain, (I) remain, (you) remain
z rana in the morning
żaba frog

Phrases

chuchać i dmuchać na siebie give special care to oneself
myśli sobie (she) is just thinking
po troszku gradually, bit by bit

16
W restauracji

Pan Nowak je obiad w restauracji. Siada przy wolnym stoliku. Zamawia zupę owocową, drugie danie i kompot. Kelner podaje zupę.

Nie mogę jeść tej zupy — mówi pan Nowak.

Kelner zabiera talerz i po chwili przynosi inną zupę, ogórkową.

— Nie mogę jeść zupy — powtarza pan Nowak.

— Dlaczego? Nie lubi pan zupy? — pyta kelner.

— Lubię zupę, ale nie mam łyżki — odpowiada pan Nowak.

*

Po chwili pan Nowak woła znów kelnera:

— Proszę pana, w zupie jest mucha!

Kelner wyjmuje muchę z zupy.
— Już nie ma muchy, proszę pana!
— Gdzie jest kierownik? Proszę zawołać kierownika! — denerwuje się pan Nowak.
— Nie ma kierownika, jada obiady w domu — odpowiada kelner.

*

— Dlaczego Kain zabił Abla?
— No?
— Bo Abel opowiadał stare dowcipy...

Vocabulary

chwila, po chwili moment, in a moment
denerw/ować się, ~**uję,** ~**ujesz** be annoyed, (I) am annoyed, (you) are annoyed
dowcip joke
inn/y, ~**a,** ~**e** another, other
kelner waiter
kierownik head-waiter
kompot compote
łyżka spoon
mucha fly
nie ma (he) isn't (here)
odpowiad/ać, ~**am,** ~**asz** answer, (I) answer, (you) answer
ogórkow/y, ~**a,** ~**e** cucumber (*attrib*)
opowiad/ać, ~**am,** ~**asz** tell, (I) tell, (you) tell
owocow/y, ~**a,** ~**e** fruit (*attrib*)
powtarz/ać, ~**am,** ~**asz** repeat, (I) repeat, (you) repeat

proszę (zawołać) please (call)
przy/nosić, ~**noszę,** ~**nosisz** bring, (I) bring, (you) bring
restauracja restaurant
stolik (*dim*) table
talerz plate
woł/ać, ~**am,** ~**asz** call, (I) call, (you) call
wyjm/ować, ~**uję,** ~**ujesz** take sth out, (I) take..., (you) take...
zabier/ać, ~**am,** ~**asz** take sth away, (I) take..., (you) take...
zabić (*perf*), **zabiję, zabijesz** kill, (I)'ll kill, (you)'ll kill
zamawi/ać, ~**am,** ~**asz** order, (I) order, (you) order
zawoł/ać (*perf*), ~**am,** ~**asz** call, summon, (I)'ll call, (you)'ll call
znów again

Phrases

Proszę pana! polite form of address, *here*: waiter! sir!

17

Sąsiad i sąsiadka

Pani Kowalska: Czy znasz już naszego nowego sąsiada?
Pan Kowalski: Nie znam go jeszcze. Mieszka tu od niedawna. Dlaczego
    pytasz?
Pani: To dziwny człowiek.
Pan: Dlaczego dziwny?
Pani: Zawsze roztargniony. Spotykam go często, kiedy jedziemy windą,
    ale nigdy mi się nie kłania.
Pan: Pewnie jest zaspany.
Pani: Może być zaspany rano, ale wieczorem?
Pan: Podobno on codziennie wraca po południu z biura i przez cały
    wieczór śpi.
Pani: Codziennie?
Pan: Prawie codziennie. Bardzo lubi spać.
Pani: Skąd wiesz?
Pan: Tak mówi sąsiadka.
Pani: Nie znam jej. A skąd ona wie?
Pan: Ona wie wszystko.
Pani: Naszego sąsiada nie znasz, ale sąsiadkę znasz już bardzo
    dobrze.
Pan: Zawsze ją spotykam przed naszymi drzwiami, kiedy wychodzę
    z domu!

Vocabulary

biuro office
codziennie every day
dziwn/y, ~a, ~e strange
kłani/ać się, ~am, ~asz pass the time of
    day (with sb), raise one's hat (to sb)
może być may be
nigdy never
od (+ *Gen*) from, since
od niedawna recently
on, ona, ono he, she, it
podobno they say, that ...

po południu in the afternoon
przed (drzwiami) in front of
przez (cały wieczór) for; through (all even-
    ing)
roztargnion/y, ~a, ~e absent-minded
sąsiad neighbour
sąsiadka neighbour (a woman)
skąd? how?
wszystko everything
zaspan/y, ~a, ~e sleepy

47

18

Chcę być jedynaczką

Rozmowa Jacka Kowalskiego z Kasią Nowakówną

Jacek: Czy masz rodzeństwo?
Kasia: Mam brata, ale nie mam siostry.
Jacek: A ja nie mam ani brata, ani siostry.
Kasia: Nie masz rodzeństwa? Tobie to dobrze. Jesteś jedynakiem.
Jacek: Wcale nie jest mi dobrze. Mój tatuś uważa, że dobrze jest mieć córkę. Nie ma córki, więc myśli, że córki są posłuszne, grzeczne, a z synami jest ciągle kłopot.
Kasia: A co na to mówi twoja mama?
Jacek: Moja mama twierdzi, że mężczyzna jest jak dziecko — sam nie wie, czego chce.
Kasia: Twoja mama nie ma racji! Jestem jeszcze dzieckiem, a już wiem, czego chcę: chcę być jedynaczką!
Jacek: Nie możesz być jedynaczką — masz już brata.
Kasia: Mogę, ale muszę poczekać — mój brat jest już dorosły — ożeni się z jakąś młodą kobietą, wyprowadzi się z domu, a ja będę jedynaczką.

Vocabulary

ani nor, neither... nor
chcieć, chcę, chcesz want, (I) want, (you) want
ciągle constantly, all the time
dorosł/y, ~a, ~e adult, grown-up
dziecko (*pl* dzieci) child (children)
grzeczn/y, ~a, ~e polite
jak (dziecko) like a child
jakiś, jakaś, jakieś a, some, certain
jedynaczka an only child (a girl)
jedynak an only child (a boy)
kłopot trouble
kobieta woman
mężczyzna man

ożeni/ć się (*perf*), ~ę, ~sz get married, (I)'ll get married, (you)'ll get married
poczek/ać (*perf*), ~am, ~asz wait, (I)'ll wait, (you)'ll wait
posłuszn/y, ~a, ~e obedient
rozmowa conversation
sam he himself
tatuś daddy
twier/dzić, ~dzę, ~dzisz maintain, (I) maintain, (you) maintain
wcale not in the least
więc so, therefore
wyprowa/dzić się (*perf*), ~dzę, ~dzisz move out, (I)'ll move out, (you)'ll move out

co na to (mówi mama) what does mother say to that
sam (sama, samo) nie wie he/she doesn't know himself/herself

19
Jacek i Kasia w szkole

Na lekcji gramatyki nauczyciel tłumaczy:
— Kiedy mówię:
dziś pracuję — to jest czas teraźniejszy,
wczoraj pracowałem — czas przeszły,
jutro będę pracować — czas przyszły.
Potem pyta Jacka:
— Kiedy mówię:
my jemy, wy jecie, oni jedzą — to jaki to czas, Jacku?
Jacek odpowiada:
— To pora obiadowa, proszę pana.

*

Nauczycielka mówi na lekcji o porach roku, o zmianach pogody:
— W lecie niebo jest pogodne, często świeci słońce. Latem jest
ciepło, a nawet gorąco. Dzień jest długi. Jesienią niebo jest pochmurne,
często pada deszcz, wieje chłodny wiatr. Na jesieni jest zimno. Zimą pada
śnieg. Jest mróz. W zimie dni są krótkie. Na wiosnę robi się znów ciepło.
Wiosną wszystko budzi się do życia. Potem pyta Kasię:
— Kasiu, co widzimy nad głową w pogodny dzień?
— Słońce i niebo — odpowiada Kasia.
— A w dzień deszczowy?
— Parasol, proszę pani.

Vocabulary

budzić się, budzę się, budzisz się wake, (I)
wake, (you) wake

chłodno cool
chłodn/y, ~a, ~e cool

ciepło warm
ciepł/y, ~a, ~e warm
deszczow/y, ~a, ~e rainy
gorąco hot
goręc/y, ~a, ~e hot
gramatyka grammar
jesień autumn, fall
jutro tomorrow
lato summer
lekcja lesson
mróz frost
my we
nad (+ *Instr*) over, above
nawet even
obiadow/y, ~a, ~e dinner (*attrib*)
oni they
pad/ać, ~am, ~asz fall, (I) fall, (you) fall
parasol umbrella
pochmurn/y, ~a, ~e cloudy
pogoda weather
pogodn/y, ~a, ~e fine, bright, clear

pora season, time
prac/ować, ~uję, ~ujesz work, (I) work, (you) work
przeszł/y, ~a, ~e past
przyszł/y, ~a, ~e future
śnieg snow
świe/cić, *3 pers* świeci shine, (it) shines
teraźniejsz/y, ~a, ~e present
tłumacz/yć, ~ę, ~ysz explain, (I) explain, (you) explain
wczoraj yesterday
wiać, *3 pers* wieje blow, (it) blows
wiatr wind
widzieć, widzę, widzisz see, (I) see, (you) see
wiosna spring
wy you
zima winter
zimno cold
zimn/y, ~a, ~e cold
zmiana change

Phrases

pada deszcz it rains
pada śnieg it snows
robi się ciepło (zimno, gorąco) it is getting/it gets warm (cold, hot)

Poem 2

Kochać i tracić

Kochać i tracić, pragnąć i żałować,
Padać boleśnie i znów się podnosić,
Krzyczeć tęsknocie „Precz!" i błagać „Prowadź!"
Oto jest życie: nic, a jakże dosyć...

Zbiegać za jednym klejnotem pustynie,
Iść w toń za perłą o cudu urodzie,
Ażeby po nas zostały jedynie
Ślady na piasku i kręgi na wodzie.

Leopold Staff

Vocabulary

ażeby so as, so that
błag/ać, ~am, ~asz entreat, (I) entreat, (you) entreat
boleśnie painfully
cud miracle
dosyć enough, sufficient
jakże how, yet
jedynie only
klejnot jewel
krąg circle
krzycz/eć, ~ę, ~ysz shout, (I) shout, (you) shout
oto here, this
perła pearl
piasek sand
podn/osić się, ~oszę, ~osisz get up, (I) get up, (you) get up

prag/nąć, ~nę, ~niesz desire, long for, (I) long for, (you) long for
precz! away!
prowa/dzić, ~dzę, ~dzisz lead the way, (I) lead, (you) lead
pustynia desert
ślad footprint, trace
tęsknota longing, yearning
toń deep-sea
tra/cić, ~cę, ~cisz lose, (I) lose, (you) lose
za (+ Instr) after
zbieg/ać, ~am, ~asz run, (I) run, (you) run
znów again
żal/ować, ~uję, ~ujesz regret, (I) regret, (you) regret

20
Kiosk „Ruchu"

— Nie mam już zapałek — mówi pani Nowakowa do męża. Czy możesz pójść do kiosku? Kup mi też mydło toaletowe i proszki od bólu głowy.

Leszek Nowak wzdycha, bierze pieniądze, wychodzi z domu i idzie do kiosku „Ruchu".

— Co dla pana? — pyta sprzedawca.

— Proszę o pudełko zapałek i gazetę — mówi pan Nowak.

— Proszę. Sprzedawca liczy: — Zapałki — osiemdziesiąt groszy, gazeta — złotówkę, razem — złoty osiemdziesiąt. Czy coś jeszcze?

— Są jakieś tygodniki?

— Oczywiście. Jest „Kultura", „Literatura", „Polityka".

— To poproszę „Politykę". I jeszcze proszę mi dać mydło toaletowe dla żony, proszki od bólu głowy i dwa znaczki pocztowe.

— Jakie znaczki?

— Na list krajowy, po dwa pięćdziesiąt. I jeszcze jeden znaczek za cztery złote, na list zagraniczny.

— To wszystko?

— Chyba tak.

— A papierosów pan nie bierze?

— Nie, dziękuję. Żona jeszcze ma, a ja nie palę. Ile płacę?

— Chwileczkę, zaraz, muszę policzyć... Dwadzieścia trzy złote.

Pan Nowak podaje banknot stuzłotowy.

— Nie ma pan drobnych? — pyta sprzedawca.

— Niestety, nie, bardzo mi przykro — odpowiada Nowak.

Sprzedawca bierze banknot i wydaje resztę bilonem. Leszek bierze zakupy i wraca do domu.

Vocabulary

banknot banknote, bill
bilon coins, small change
ból ache, pain
brać, biorę, bierzesz take, (I) take, (you) take
chwileczkę just a moment
coś something, anything
dać, dam, dasz (*perf*) give, (I)'ll give, (you)'ll give
drobne change, small change

grosz one hundredth of a zloty
jakiś, jakaś, jakieś a, some, certain
kiosk kiosk
krajow/y, ~a, ~e domestic
kultura culture
kupić, kupię, kupisz (*perf*) buy, (I)'ll buy, (you)'ll buy
licz/yć, ~ę, ~ysz count, (I) count, (you) count
literatura literature

mydło soap
pa/lić, ~lę, ~lisz smoke, (I) smoke, (you) smoke
papieros cigarette
pieniądze money
pocztow/y, ~a, ~e postal
policz/yć, (perf), ~ę, ~ysz add up, (I)'ll add up, (you)'ll add up
polityka politics
proszę please
to poproszę... I'll take... then
pójść, pójdę, pójdziesz (perf) go, (I)'ll go, (you)'ll go
prosić, proszę, prosisz ask, (I) ask, (you) ask
proszek tablet (eg aspirin)
pudełko box
razem it adds up to...

reszta change
„Ruch" Enterprise for Book and Press Distribution "Ruch"
sprzedawca shop-assistant
stuzłotow/y, ~a, ~e a hundred zloty (attrib)
toaletow/y, ~a, ~e toilet (attrib)
tygodnik weekly (periodical)
wyd/awać, ~daję, ~dajesz give, (I) give, (you) give
wzdych/ać, ~am, ~asz sigh, (I) sigh, (you) sigh
(znaczek) za (4 zł) a four zloty stamp
zagraniczn/y, ~a, ~e foreign, abroad
zapałki matches
złotówka, złoty unit of Polish currency
znaczek (postage) stamp

Phrases

bardzo mi przykro I am very sorry
czy coś jeszcze? anything else?
mydło toaletowe toilet soap
proszek (proszki) od bólu głowy tablets for a headache (aspirin)
złoty osiemdziesiąt = 1 złoty 80 groszy

NB The prices quoted in the textbook refer to the 1970s.

Table 7
LICZEBNIKI GŁÓWNE — CARDINAL NUMBERS

0 — zero	13 — trzynaście	80 — osiemdziesiąt
1 — jeden	14 — czternaście	90 — dziewięćdziesiąt
2 — dwa	15 — piętnaście	100 — sto
3 — trzy	16 — szesnaście	200 — dwieście
4 — cztery	17 — siedemnaście	300 — trzysta
5 — pięć	18 — osiemnaście	400 — czterysta
6 — sześć	19 — dziewiętnaście	500 — pięćset
7 — siedem	20 — dwadzieścia	600 — sześćset
8 — osiem	30 — trzydzieści	700 — siedemset
9 — dziewięć	40 — czterdzieści	800 — osiemset
10 — dziesięć	50 — pięćdziesiąt	900 — dziewięćset
11 — jedenaście	60 — sześćdziesiąt	1000 — tysiąc
12 — dwanaście	70 — siedemdziesiąt	1 000 000 — milion

21
W domu towarowym

Państwo Nowakowie wybierają się po zakupy. W domu towarowym „Wars" na parterze pan Nowak ogląda różne towary, a szczególnie konfekcję męską: koszule, swetry, krawaty, skarpety, parasole. Zwraca się do ekspedientki:
— Proszę pani, czy mogę obejrzeć tę koszulę w paski?
— Jaki rozmiar?
— 39 (trzydzieści dziewięć).
— Bardzo proszę.
— Ładna, prawda? — zwraca się pan Nowak do żony.
— A ile kosztuje taka koszula?
— 250 (dwieście pięćdziesiąt) złotych.
— To za drogo! — mówi pani Danuta.

Przy następnym stoisku panu Nowakowi podoba się krawat w grochy. Pani Danuta twierdzi, że krawat nie pasuje do marynarki pana Nowaka. Ten w kwiaty natomiast jest niegustowny.

Państwo Nowakowie przechodzą do domu towarowego „Sawa" z konfekcją damską. Pani Nowakowa zatrzymuje się przed stoiskiem z kapeluszami. Mierzy jeden kapelusz za drugim.

Co chwila pyta męża:
— Jak ci się podobam w tym czerwonym kapeluszu? Czy mi do twarzy w kolorze zielonym?
Pan Nowak jest już trochę znudzony. Odpowiada:
— Wolę ten niebieski.
— Masz rację. Ma ładny fason i jest niedrogi. Proszę zapakować — mówi pani Danuta do ekspedientki.
— A ile on kosztuje? — pyta mąż.
— Tylko 450 (czterysta pięćdziesiąt) złotych — odpowiada pani Danuta. Jest bardzo tani.

Vocabulary

chwila moment, instant
dams/ki, ~ka, ~kie ladies', women's
dro/gi, ~ga, ~gie expensive
za drogo too expensive
ekspedientka saleswoman
fason style
gustown/y, ~a, ~e elegant
kapelusz hat
kolor colour
konfekcja ready-made clothes
kosztować, 3 pers kosztuje cost, (it) costs
koszula shirt
krawat tie
ładna, prawda? nice, isn't it?
marynarka jacket
męs/ki, ~ka, ~kie men's
mierz/yć, ~ę, ~ysz try on, (I) try on, (you) try on
następn/y, ~a, ~e next
natomiast whereas, on the other hand
niegustown/y, ~a, ~e in bad taste, inelegant
obejrz/eć, ~ę, ~ysz have a look, (I)'ll have a look, (you)'ll have a look
pas/ować, 3 pers pasuje go (well) with sth, it goes with sth
podob/ać się like
jak ci się podobam (w czymś)? how do you like me (in this...)?

przecho/dzić, ~dzę, ~dzisz go over, across (to), (I) go, (you) go
rozmiar size
skarpeta ⎫
skarpetka (dim) ⎭ sock
stoisko department, counter
sweter sweater
szczególnie especially
taki, taka, takie such, such as this
tani, ~a, ~e cheap
tanio cheap, cheaply
(dom) towarow/y, ~a, ~e department store
trochę a little
twarz face
tylko only
wol/eć, ~ę, ~isz prefer, (I) prefer, (you) prefer
wybier/ać się, ~am, ~asz be about to (do sth), (I) am about to...
zakupy shopping
zapak/ować, ~uję, ~ujesz wrap up sth, (I)'ll wrap up, (you)'ll wrap up
zatrzym/ywać się, ~uję, ~ujesz stop, (I) stop, (you) stop
znudzon/y, ~a, ~e bored
zwrac/ać się, ~am, ~asz turn to sb, (I) turn, (you) turn

Phrases

co chwila again and again
jeden za drugim one after another
komu do twarzy (w czym) it suits you
(krawat) w grochy a polka-dot (tie)
w kwiaty flowered
w paski striped

Table 8
UBIORY — CLOTHES

beret beret	**palto** overcoat
bielizna underwear	**pantofel** shoe
bluzka blouse	**płaszcz** coat
but boot	**pończocha** stocking
chustka scarf	**rękawiczka** glove
czapka cap	**rajstopy** tights, panty-hose
futro fur, fur coat/jacket	**skarpeta** ⎫
garnitur suit, a man's suit	**skarpetka** ⎭ sock
kamizelka waistcoat	**spodnie** trousers
kapelusz hat	**spódnica** skirt
kostium suit, a woman's suit	**sukienka** dress
koszula shirt	**suknia** gown
kożuch sheepskin (coat/jacket)	**sweter** sweater
kurtka jacket, anorak	**szalik** scarf, muffler
marynarka jacket	**ubranie** garment

Table 9
KOLORY — COLOURS

biały white	**niebieski** blue
brązowy brown	**pomarańczowy** orange
ciemnoniebieski dark blue	**różowy** pink
czarny black	**srebrny** silver
czerwony red	**szary** grey
fioletowy violet	**zielony** green
granatowy navy blue	**złoty** gold, golden
jasnoróżowy light pink	**żółty** yellow

22
Sześć kucharek

Było sobie sześć kucharek:
Jedna sucha jak sucharek,
jak bułeczka pulchna druga,
trzecia jak makaron długa,
czwarta miała mleczną cerę
i lubiła kluski z serem,
piąta niby pączek tłusta
i jak ocet kwaśna szósta.

pierwsza
druga
trzecia
czwarta piąta szósta

BAR MLECZNY

Gdzie kucharek sześć, tam nie ma co jeść

Pięć kucharek w mlecznym barze
miało przez nią kwaśne twarze,
bo nic nigdy nie robiła,
tylko ciągle się kłóciła:

z tą najpierwszą o kakao,
co na blachę wykipiało,
a z tą drugą — o talerze
i o każdą dziurkę w serze,
o ryż — z trzecią, o sól — z czwartą,
z piątą zaś — o bułkę tartą...

Wanda Chotomska

Vocabulary

bar bar
blacha kitchen range
bułeczka (*dim*) a small bread roll
bułka a bread roll
cera complexion
ciągle all the time, continually
czwart/y, ~a, ~e fourth
dru/gi, ~ga, ~gie second
dziura hole
dziurka (*dim*) small hole
kakao cocoa
każd/y, ~a, ~e every, each
kluski noodles
kłó/cić się, ~cę, ~cisz quarrel, (I) quarrel, (you) quarrel
kucharka cook (a woman)
kucharz cook
kwaśn/y, ~a, ~e sour
makaron macaroni
mleczn/y, ~a, ~e milk (*attrib*)

najpierwszy the very first
niby (*comp conj*) like
ocet vinegar
pączek doughnut
piąt/y, ~a, ~e fifth
pierwsz/y, ~a, ~e first
przez (+ *Acc* przez nią) through, because of (because of her)
pulchn/y, ~a, ~e plump
ser cheese
sól salt
sucharek rusk
szóst/y, ~a, ~e sixth
tłust/y, ~a, ~e fat
trzeci, ~a, ~e third
tylko (*contrast*) but, only
wykipieć (*perf*), *3 pers* **wykipi** boil over, (it)'ll boil over
zaś while, whereas

Phrases

bar mleczny a milk bar
bułka tarta bread crumbs
był sobie... there was once...

„Gdzie kucharek sześć, tam nie ma co jeść"
proverb (Too many cooks spoil the broth)

Table 10

LICZEBNIKI PORZĄDKOWE — ORDINAL NUMBERS

0. — zerowy	13. — trzynasty	80. — osiemdziesiąty
1. — pierwszy	14. — czternasty	90. — dziewięćdziesiąty
2. — drugi	15. — piętnasty	100. — setny
3. — trzeci	16. — szesnasty	200. — dwusetny
4. — czwarty	17. — siedemnasty	300. — trzechsetny
5. — piąty	18. — osiemnasty	400. — czterechsetny
6. — szósty	19. — dziewiętnasty	500. — pięćsetny
7. — siódmy	20. — dwudziesty	600. — sześćsetny
8. — ósmy	30. — trzydziesty	700. — siedemsetny
9. — dziewiąty	40. — czterdziesty	800. — osiemsetny
10. — dziesiąty	50. — pięćdziesiąty	900. — dziewięćsetny
11. — jedenasty	60. — sześćdziesiąty	1000. — tysięczny
12. — dwunasty	70. — siedemdziesiąty	1 000 000. — milionowy

23
Dzień Jurka

Jurek Nowak nie mieszka z rodzicami. Jego rodzice mieszkają w Warszawie, a on studiuje historię sztuki w Toruniu. Mieszka w akademiku.

Codziennie wstaje wcześnie, o godzinie siódmej rano. Myje się, czesze się, ubiera się i idzie do stołówki na śniadanie. Pije mleko, je kanapki i wychodzi na uniwersytet.

Wykłady zaczynają się przed południem. W południe Jurek ma przerwę. Idzie na krótki spacer, a o drugiej je obiad. Po południu, około czwartej, ma ćwiczenia i lektorat języka łacińskiego. Zajęcia się kończą o wpół do ósmej.

Wieczorem po kolacji ogląda telewizję, uczy się albo czyta książkę. Zwykle kładzie się spać przed jedenastą.

Czasem spotyka się z Moniką. Monika jest niepunktualna i często spóźnia się na spotkania. Zawsze mówi, że jej zegarek źle chodzi.

Jurek z Moniką chodzą razem do kina, do teatru i na koncerty. Czasami idą na dyskotekę trochę potańczyć. Potem Jurek odprowadza Monikę do domu i wraca do akademika późno, po godzinie jedenastej.

Vocabulary

akademik hostel, hall of residence, dormitory
albo or
czasami, czasem sometimes
czesać się, czeszę się, czeszesz się comb (one's hair), (I) comb (my hair), (you) comb (your hair)
ćwiczenia classes
dyskoteka discotheque
godzina hour
jego, jej (*possessive pronouns/adjectives*) his, her
język language
koncert concert
kończ/yć się, ~ę, ~ysz end, finish, (I) finish, (you) finish
lektorat language course (at a university)
łacińs/ki, ~ka, ~kie Latin
na (+ *Acc*) for, to
niepunktualn/y, ~a, ~e unpunctual
o (+ *Loc* **o godzinie**) at (7 o'clock)
odprowadz/ać, ~am, ~asz see/take sb (home), (I) take, (you) take
około about
po południu in the afternoon
potańcz/yć, ~ę, ~ysz to have a dance/ /dance, (I) dance, (you) dance
późno late
przed południem in the morning
przerwa break
punktualn/y, ~a, ~e punctual
spotkanie meeting, date
spotyk/ać się, ~am, ~asz meet, have a date (with sb)
spóźni/ać się, ~am, ~asz be late, (I) am late, (you) are late
stołówka canteen
tańcz/yć, ~ę, ~ysz dance, (I) dance, (you) dance
trochę a little
ubier/ać się, ~am, ~asz put on clothes, dress, (I) dress, (you) dress
ucz/yć się, ~ę, ~ysz learn, study, (I) learn, (you) learn
w południe at noon
wykład lecture
zajęcia classes and lectures
zegarek watch

Phrases

wpół do... half past...
zegarek chodzi (dobrze, źle) a watch keeps (good/bad) time

Table 11
PORY DNIA — TIMES OF THE DAY

ranek morning
rano in the morning
przed południem in the morning
południe noon
popołudnie afternoon
po południu in the afternoon

wieczór evening
wieczorem in the evening
noc night
północ midnight
dzień day
doba day and night, round the clock

24
Na dworcu

Jesteśmy na Dworcu Centralnym w Warszawie. Jest wpół do szóstej rano. Przed kasami biletowymi stoją długie kolejki, a na peronach czekają tłumy pasażerów.

W poczekalni dworcowej spotykają się dwaj koledzy: Jurek i Romek.
— Cześć, Romek! Dokąd jedziesz?
— Jak się masz, Jurek! Do Krakowa, a ty?
— Ja do Torunia.
— O której odchodzi twój pociąg?
— Szósta pięć. To pociąg pospieszny.

— A ja jadę ekspresem. Mam miejscówkę w wagonie drugiej klasy dla niepalących. A ty?

— W moim pociągu nie ma rezerwacji miejsc, ale mam bilet pierwszej klasy, na pewno znajdę wolne miejsce. Słuchaj, zapowiadają jakiś pociąg.

Z megafonu słychać głos:

— „Uwaga, uwaga! Pociąg ekspresowy „Tatry" z Warszawy Wschodniej do Zakopanego przez Radom, Skarżysko, Kielce, Kraków — planowy odjazd godzina szósta zero zero — wjeżdża na tor pierwszy przy peronie drugim. Proszę uważać i odsunąć się od toru..."

— To mój pociąg! — woła Romek. — Muszę już iść. Do widzenia! Pozdrów rodziców i małą Kasię. Napisz do mnie!

— Cześć! Mój pociąg będzie za pięć minut. Szczęśliwej podróży! Na pewno napiszę. A nie zapomnij odpisać!

Vocabulary

bilet ticket
biletow/y, ~a, ~e ticket (*attrib*)
centraln/y, ~a, ~e central
cześć! hallo!
dwaj two
dworcow/y, ~a, ~c station (*attrib*)
dworzec railway station
ekspres express (train)
ekspresow/y, ~a, ~e express (*attrib*)
kasa booking office, ticket office
klasa class
kolejka queue
megafon loud-speaker
miejsce seat
miejscówka (seat) reservation
minuta minute
na pewno certainly
na/pisać (*perf*), ~piszę, ~piszesz write, (I)'ll write, (you)'ll write
niepaląc/y, ~a, ~e non-smoker
odcho/dzić, ~dzę, ~dzisz leave, (I) leave, (you) leave
odjazd departure
od/pisać (*perf*), ~piszę, ~piszesz write back, answer (a letter)

odsu/nąć się (*perf*), ~nę, ~niesz stand back, (I)'ll stand back, (you)'ll stand back
pasażer passenger
peron platform
planow/y, ~a, ~e scheduled, planned
pociąg train
poczckalnia waiting room
pospieszn/y, ~a, ~e fast
pozdro/wić (*perf*), ~wię, ~wisz greet, (I)'ll greet, (you)'ll greet
rezerwacja reservation
słychać (głos) it could be heard
spotk/ać (*perf*), ~am, ~asz meet, (I)'ll meet, (you)'ll meet
szczęśliw/y, ~a, ~e happy
Tatry name of a train (Tatra mountains)
tłum crowd
tor railway, track
uwaga attention
uważ/ać, ~am, ~asz watch out, (I) watch out, (you) watch out
wagon carriage
wjeżdż/ać, ~am, ~asz come into, (I) come, (you) come
wschodni, ~a, ~e eastern

za (+ *Acc* **za 5 minut**) in (in 5 minutes)
zapom/nieć (*perf*), ~**nę**, ~**nisz** forget, (I)'ll
  forget, (you)'ll forget
zapowiad/ać, ~**am**, ~**asz** announce, (I)
  announce, (you) announce

zero zero, nought
znaleźć (*perf*), **znajdę, znajdziesz** find, (I)'ll
  find, (you)'ll find

Phrases

jak się masz? how are you?
o której (godzinie)? what time?
pociąg ekspresowy an express (train)
pociąg pospieszny a fast train
szczęśliwej podróży! have a good journey!
kasa biletowa booking office, ticket office

25

1. Spieszę się na pociąg

Młody mężczyzna idzie drogą przez wieś w kierunku dworca kolejowego. Niesie ciężką walizkę. Chciałby przejść przez łąkę, żeby sobie skrócić drogę. Pyta więc gospodarza:

— Proszę pana, czy mogę przejść przez pańską łąkę? Spieszę się, bo chciałbym zdążyć na pociąg, który odchodzi o 15^{30}.
Gospodarz odpowiada:

— Proszę bardzo, niech pan idzie. Jeżeli po drodze zobaczy pana mój byk, to zdąży pan nawet na pociąg, który odchodzi o 15^{10}.

2. Krowa na łące

Na wystawie obrazów zwiedzający pyta malarza:
— Chciałbym pana zapytać, co przedstawia pański obraz?
— Ten obraz przedstawia krowę na łące — odpowiada malarz.
— A gdzie jest trawa?
— Trawę zjadła krowa.
— A gdzie jest ta pańska krowa?
— Poszła dalej. Przecież tu już nie ma trawy.

3. Gdyby...

Gdyby nie było ręki, nie byłoby ręcznika,
Gdyby nie było świecy — nie byłoby świecznika,
Gdyby nie było kury — nie byłoby kurczaka,
Gdyby nie było ryby — nie byłoby rybaka,
Gdyby nie było wiosła — nie byłoby wioślarza,
Gdyby nie było piłki — nie byłoby piłkarza,
Gdyby nie było stali — nie byłoby stalówek,
Gdyby nie było klasy — nie byłoby klasówek.

Roman Pisarski „Gramatyka na wesoło"

Vocabulary

byk bull
cięż/ki, ~**ka,** ~**kie** heavy
droga road
gdyby if
gospodarz farmer
jeżeli..., **to** if..., then
kierunek direction
klasówka (class) test
kolej railway
kolejow/y, ~**a,** ~**e** railway (*attrib*)
krowa cow
którędy? which way?
kura hen
kurczak chicken
łąka meadow
malarz painter
nieść, niosę, niesiesz carry, (I) carry, (you) carry
obraz picture
pański your
piłka ball
piłkarz (foot)ball player
poszła (*the past tense form, feminine gender, of the verb* **pójść**) (she) went
przedstawi/ać, ~**am,** ~**asz** show, (I) show, (you) show
przejść (*perf*), **przejdę, przejdziesz** walk across, (I)'ll walk across, (you)'ll walk across

przez (+ *Acc* **przez łąkę**) across (across the meadow)
ręcznik towel
ryba fish
rybak fisherman
skró/cić (*perf*), ~**cę,** ~**cisz** take a short-cut, (I)'ll take..., (you)'ll take...
spiesz/yć się, ~**ę,** ~**ysz** be in a hurry, (I) am in a hurry, (you) are in a hurry
stal steel
stalówka nib
świeca candle
świecznik candle-stick
trawa grass
walizka suitcase
wieś village
wiosło oar
wioślarz oarsman
wystawa exhibition
zapyt/ać (*perf*), ~**am,** ~**asz** ask, (I)'ll ask, (you)'ll ask
zdąż/yć (*perf*), ~**ę,** ~**ysz** (**na pociąg**) be in time (for the train), (I)'ll be..., (you)'ll be...
zjadła (*the past tense form, feminine gender, of the verb* **zjeść**) (she) ate
zobacz/yć (*perf*), ~**ę,** ~**ysz** see, (I)'ll see, (you)'ll see
zwiedzający visitor
żeby in order to

krowa   cielę   byk

owca   baran   koń

świnia   pies   kot

kura   kurczak   kogut   gęś

Phrases

po drodze on the way

Table 12

ZWIERZĘTA DOMOWE — DOMESTIC ANIMALS

baran ram	**kaczka** duck	**kurczak** chicken
byk bull	**kogut** cock	**owca** sheep
cielę calf	**koń** horse	**pies** dog
gęś goose	**kot** cat	**świnia** pig
indyk turkey	**krowa** cow	**wół** ox
jagnię lamb	**kura** hen	**źrebak** foul

26
Kasia idzie na imieniny

Kasia idzie dziś do koleżanki na imieniny. Kupiła już prezent: lalkę i kwiaty. A teraz się zastanawia, jak się ubrać. Kasia chce ładnie wyglądać, ale nie namyśla się długo. Mija kilka minut i Kasia jest już pięknie ubrana.

— Mamo, już się ubrałam! Możemy iść do Halinki.

— Ależ Kasiu! Dlaczego włożyłaś taką lekką sukienkę? Dziś jest słonecznie, ale chłodno.

— Wczoraj było chłodniej, a ja chodziłam w lekkiej sukience.

— I zmarzłaś. Musisz się przebrać.

— Naprawdę muszę? Dziś chyba jest cieplej.

— Nie jest cieplej. Włóż wełnianą sukienkę w kratkę.

— Tamta nie jest taka ładna jak ta.

— Myślisz, że jest brzydsza? Wcale nie.

— Może nie jest brzydsza, ale mnie jest w niej brzydko.

— Na pewno nie jest ci brzydziej, niż w tej. Przebieraj się, Kasiu, szybko. Już jest późno.

— Przebieram się szybko. Szybciej nie potrafię... Mamo, spójrz na termometr! Jest dwadzieścia stopni ciepła! Strasznie dziś gorąco.

— Czy ty, Kasiu, dobrze znasz się na termometrze?

— Bardzo dobrze.

— Ale ja chyba znam się lepiej.

— Najlepiej się zna na termometrze tatuś. Szkoda, że tatusia nie ma w domu.

— Popatrz, Kasiu, uważnie: jest piętnaście stopni.

— Chyba osiemnaście.

— Popatrz uważniej!

— No, prawie szesnaście i pół.

— Oj, Kasiu, Kasiu! Jesteś uparta. Chcesz zawsze mieć rację. Ale dobrze, że już się przebrałaś. Bardzo ładnie wyglądasz w tej sukience.

— W tamtej wyglądałam ładniej.

— Co ty jeszcze robisz, Kasiu? Chodźmy już!

— Jeszcze nie mogę iść. Muszę cieplej ubrać moją lalkę. Ma na sobie lekką sukienkę. Co będzie, jeśli zmarznie i się przeziębi?

— Będzie bardzo źle. Ale jeżeli spóźnimy się na imieniny, będzie jeszcze gorzej.

Vocabulary

ależ oh dear! dear me!
brzydko (mi w niej) I don't look pretty in it
chłodno chilly
imieniny name-day
jeśli if
kilka several, a few
kratka check
ku/pić (*perf*), ~**pię**, ~**pisz** buy, (I)'ll buy, (you)'ll buy
lalka doll
lek/ki, ~**ka**, ~**kie** thin, light
ładnie (wyglądasz) you look pretty
mij/ać, ~**am**, ~**asz** pass, (I) pass, (you) pass
namyśl/ać się, ~**am**, ~**asz** think sth over, (I) think, (you) think
naprawdę really
pięknie prettily
popatrz/eć, ~**ę**, ~**ysz** have a look, (I)'ll have a look, (you)'ll have a look

potra/fić, ~**fię**, ~**fisz** be able to, (I) am able to, (you) are able to
pół half
prawie nearly
prezent present
przebier/ać się, ~**am**, ~**asz** change (clothes), (I) change, (you) change
prze/brać się (*perf*), ~**biorę**, ~**bierzesz** change (clothes), (I)'ll change, (you)'ll change
przezię/bić się (perf), ~**bię**, ~**bisz** catch a cold, (I)'ll catch a cold, (you)'ll catch a cold
słonecznie sunny
spojrz/eć (*perf*), ~**ę**, ~**ysz** glance, (I)'ll glance, (you)'ll glance
spóź/nić się (*perf*), ~**nię**, ~**nisz** be late, (I)'ll be late, (you)'ll be late
stopień degree

sukienka dress
szkoda what a pity
tamten, tamta, tamto that one, the other
  one
termometr thermometer
ubrać się (*perf*), ubiorę się, ubierzesz się
  put one's clothes on, (I)'ll put..., (you)'ll
  put...
ubran/y, ~ a, ~ e dressed
upart/y, ~ a, ~ e obstinate

uważnie carefully
wcale (nie) not in the least
wełnian/y, ~ a, ~ e woollen
zmarz/nąć (*perf*), ~ nę, ~ niesz (*pronun-
  ciation*: zmar-znąć) be freezing, feel very
  cold
znać się know all about sth *here*: znać się na
  termometrze be able to read the thermometer

Phrases

mieć na sobie be wearing, have sth on
w kratkę checked
włożyć sukienkę put a dress on

Poem 3

Być może

Być może, gdzie indziej są ziemie piękniejsze
i noce gwiaździstsze, i ranki jaśniejsze,
być może, bujniejsza, zieleńsza jest zieleń
i ptaki w gałęziach śpiewają weselej —
    Być może, gdzie indziej... lecz sercu jest droższa
    piosenka nad Wisłą i piasek Mazowsza.
Są zmierzchy na fiordach i cienie piramid,
i zorze polarne, i sen pod palmami,
stubarwne motyle, baśniowe ogrody
i miasta w ogrodach cudownej urody —
    Być może, gdzie indziej... lecz sercu jest droższa
    piosenka nad Wisłą i piasek Mazowsza.
Być może, być może, że wszystko gdzieś lepsze
— i ptaki, i gwiazdy, i śpiew, i powietrze,
że były gdzieś nawet szczęśliwsze narody
i drzewa wdzięczniejsze od wierzby u wody —
    Być może, gdzie indziej... lecz sercu jest droższa
    piosenka nad Wisłą i piasek Mazowsza.

Stanisław Ryszard Dobrowolski

Vocabulary

baśniow/y, ~a, ~e fairytale (*attrib*)
baśń fairytale
bujn/y, ~a, ~e luxuriant
cień shadow
cudown/y, ~a, ~e marvellous
fiord fiord
gałąź branch
gdzie indziej somewhere else
gdzieś somewhere
gwiazda star
gwiaździst/y, ~a, ~e starry
miasto town
motyl butterfly
nad (+ *Instr*) on (the Vistula)
naród nation
noc night
palma palm
piosenka song

piramida pyramid
pod (+ *Instr*) under
polarn/y, ~a, ~e polar
ptak bird
ranek morning
sen dream
stubarwn/y, ~a, ~e multicoloured
śpiew singing
śpiew/ać, ~am ,~asz sing, (I) sing, (you) sing
uroda beauty
wdzięczn/y, ~a, ~e graceful
wesoło merrily
wierzba willow
zieleń greenery
ziemia land
zmierzch dusk
zorza (polarna) northern lights

Phrases

być może maybe, perhaps
u wody by the water
zorza polarna northern lights

27

W parku

— Leszku, co robisz? — pyta męża pani Danuta.
— Teraz? Nic. A dlaczego pytasz?
— Trzeba pójść z psem na spacer. Pójdziesz?
— Naturalnie.
Leszek Nowak woła psa:
— Azor, idziemy do parku! — i wychodzi z nim na spacer.

Dzień jest ciepły i słoneczny. W parku jest dużo ludzi. Leszek długo szuka wolnej ławki. Niestety, wszystkie ławki są zajęte: tu siedzi babcia z wnuczką, tam chłopak z dziewczyną, jeszcze dalej mama z niemowlęciem i staruszek z gazetą. Leszek patrzy na nich z zazdrością i idzie dalej. Wreszcie znajduje wolną ławkę w cieniu, pod wielkim drzewem. Puszcza psa, siada na ławce i otwiera książkę. Pies biega jak szalony po trawniku i goni wróble. Potem goni małego czarnego kota. Kot ucieka na drzewo, pies zatrzymuje się pod drzewem i szczeka na kota.

W tej chwili Leszek Nowak zamyka książkę. Patrzy na psa i kota, a potem spostrzega małego chłopca, który stoi obok ławki i obserwuje zwierzęta.

Chłopiec pyta Leszka:

— Czy to pański pies, proszę pana?

— Tak mój. Podoba ci się? Chcesz się z nim bawić?

— Nie. On już się bawi z moim kotem.

— To twój kot siedzi na drzewie? Dlaczego prowadzisz kota na spacer do parku? — pyta zdziwiony Leszek.

— Bo my mieszkamy w dużym bloku, a mój kot lubi biegać po trawie, wąchać kwiaty i chodzić po drzewach. Czy może pan zawołać psa, bo muszę już wracać do domu?

Leszek woła psa i też postanawia wracać do domu. Robi się chłodno. Leszek chce zdążyć do domu przed deszczem.

Vocabulary

ba/wić się, ~ wię, ~ wisz play, (I) play, (you) play

bieg/ać, ~ am, ~ asz run, (I) run, (you) run

chłopak boy

chłopiec boy

cień shade

czarn/y, ~ a, ~ e black

dzień day

go/nić run after

kot cat

ludzie people

ławka bench

naturalnie of course

niemowlę baby

obok beside, next to

obserw/ować, ~ uję, ~ ujesz watch, (I) watch, (you) watch

pies dog

pod under

postanawi/ać, ~ am, ~ asz decide, (I) decide, (you) decide

puszcz/ać, ~ am, ~ asz (psa) let the dog loose

sie/dzieć, ~ dzę, ~ dzisz sit, (I) sit, (you) sit

spostrzeg/ać, ~ am, ~ asz notice, (I) notice, (you) notice

staruszek old man

szalon/y, ~ a, ~ e mad

szczekać bark

szuk/ać, ~ am, ~ asz look for, (I) look for, (you) look for

trzeba (+ *Inf*) it is necessary

uciek/ać, ~ am, ~ asz run away, (I) run away, (you) run away

wąch/ać, ~ am, ~ asz smell, (I) smell, (you) smell

wiel/ki, ~ ka, ~ kie great

wnuczka granddaughter

wróbel sparrow

wszystkie all, every

zajęt/y, ~ a, ~ e occupied

zamyk/ać, ~ am, ~ asz close, (I) close, (you) close

zazdrość envy

zdziwion/y, ~ a, ~ e surprised

znajd/ować, ~ uję, ~ ujesz find, (I) find, (you) find

zwierzę animal

28

Coś o samochodach

Sąsiadka państwa Kowalskich kupiła sobie auto. Nie miała prawa jazdy, musiała więc ukończyć kurs samochodowy i zdać egzamin. Po skończonym egzaminie zapytała egzaminatora:

— Jednej rzeczy nie wiem. Proszę mi powiedzieć, czy to zaszkodzi mojemu samochodowi, jeśli skończy mi się benzyna, a ja mimo to będę jechała dalej?

*

Sąsiadka państwa Kowalskich zapytała małego Jacka:
— Czy jesteś jedynakiem?
Jacek odpowiedział:
— Nie, rodzice mają jeszcze małego fiata.

*

Pan Kowalski spotyka sąsiadkę i opowiada:
— Niech pani sobie wyobrazi, byłem wczoraj świadkiem wypadku.
Widziałem, jak auto przejechało kominiarza.
Na to sąsiadka przerażona:
— Mój Boże, w dzisiejszych czasach człowiek nie jest bezpieczny
nawet na dachu.

*

Wiek dwudziesty pierwszy. Ruchliwa ulica wielkiego miasta. Jezdnia
pełna samochodów, jadących z wielką szybkością. Na chodniku stoi
smutny przechodzień, który usiłuje przejść na drugą stronę ulicy. Po
przeciwnej stronie widzi innego przechodnia. Woła do niego:
— Jak się panu udało przejść na tamtą stronę?
— Ja nie musiałem przechodzić — odpowiada tamten. — Ja się
urodziłem po tej stronie ulicy.

Vocabulary

benzyna petrol, gasoline
bezpieczn/y, ~a, ~e safe
Bóg God
chodnik pavement, sidewalk
czasy times
dach roof
dzisiejsz/y, ~a, ~e present-day
egzamin examination
egzaminator examiner
jazda drive, driving
jezdnia roadway
kominiarz chimney-sweep
kurs course
miasto town, city
mimo in spite of
odpowie/dzieć (*perf*), ~m, ~sz answer, (I)'ll
    answer, (you)'ll answer

pełen, pełna, pełne full (of)
powiedzieć (*perf*), **powiem, powiesz** say, (I)'ll
    say, (you)'ll say
prawo licence
przechodzień pedestrian
przeciwn/y, ~a, ~e opposite
prze/jechać (*perf*), ~jadę, ~jedziesz run
    over, (I)'ll run over, (you)'ll run over
przerażon/y, ~a, ~e frightened
ruchliw/y, ~a, ~e busy (street)
rzecz thing
samochód car
samochodow/y, ~a, ~e *here*: driving
    (school)
skończ/yć (*perf*), ~ę, ~ysz *here*: run out of
    (petrol)
smutn/y, ~a, ~e sad

73

strona side
szybkość speed
świadek witness
udać się (perf), udało się manage, (how) did
   you manage...
ukończ/yć (perf), ~ę, ~ysz complete, (I)'ll
   complete, (you)'ll complete
uro/dzić się (perf), ~dzę, ~dzisz be born
usił/ować, ~uję, ~ujesz try, (I) try, (you) try

wiedzieć, wiem, wiesz, wie; wiedzą know
wyobr/azić sobie (perf), ~ażę, ~azisz im-
   agine
wypadek accident
zaszko/dzić (perf), ~dzę, ~dzisz harm, (I)'ll
   harm, (you)'ll harm
zdać (perf), zdam, zdasz pass, (I)'ll pass,
   (you)'ll pass

Phrases

dzisiejsze czasy nowadays
mój Boże! Good God! Good Heavens!...
po tej stronie ulicy on this side of the street
prawo jazdy driving licence
zdać egzamin pass an examination

Table 13
ULICA — STREET

brama gateway	policjant policeman
chodnik pavement, sidewalk	przejście dla pieszych pedestrian cross-
dom house	ing
jezdnia roadway	róg corner
latarnia street lamp	skrzyżowanie crossing, intersection
plac circus, square	ulica street

29
Pechowy ranek Jurka Nowaka

   Dzień zaczął się dzisiaj pechowo. Kiedy dzień się tak zaczyna, najlepiej w ogóle nie wstawać z łóżka.
   Budzik zadzwonił rano o godzinie szóstej. Obudziłem się godzinę za wcześnie. Zwykle nastawiam budzik na godzinę siódmą, a wczoraj pomyliłem się i nastawiłem go na szóstą. Zawsze budzę się i wstaję zaraz, kiedy usłyszę budzik, ale dziś nie chciało mi się wstawać o godzinę

wcześniej. Pomyślałem sobie: „Jeszcze trochę poleżę. Wstanę później".
I sam nie wiem, kiedy zasnąłem. Zwykle zasypiam szybko.
Obudziłem się, kiedy dzwonił telefon. To dzwonił Marek. Zawsze
dzwoni do mnie rano i razem idziemy na uniwersytet.
— Jesteś już gotowy? — zapytał.
— A która godzina? — odpowiedziałem jeszcze zaspany.
— Nie wiesz? Już wpół do ósmej. Za kwadrans spotkamy się przed
domem. Poczekam na ciebie.
Zawsze spotykamy się na dole za piętnaście ósma. Nie spóźniamy się
nigdy na wykłady.
— Nie, Marku, możesz na mnie nie czekać. Nie pójdę z tobą.
Przyjdę później sam.
— Dlaczego? Co się stało?
— Nic się nie stało, tylko dziś zaspałem. Nie zdążę na pierwszy
wykład. Pójdę dopiero na następny. Muszę się ubrać i zjeść śniadanie.
Do zobaczenia na uniwersytecie.
Bardzo się spieszyłem: pięć minut się myłem, ubierałem się też pięć
minut. Mogłem zdążyć, ale nie chciałem iść na wykład głodny. Musiałem
zjeść śniadanie, bo nie mógłbym uważnie słuchać wykładów. Jak mówi
przysłowie: „Głodnemu chleb na myśli".

Vocabulary

budzik alarm-clock
dopiero only
do zobaczenia see you (at the university)
dół (*Loc* **na dole**) downstairs
dzisiaj today
dzwo/nić, ~ **nię**, ~ **nisz** ring sb (up), (I) ring, (you) ring
głodn/y, ~ **a**, ~ **e** hungry
gotow/y, ~ **a**, ~ **e** ready
kwadrans quarter of an hour
łóżko bed
myśl (**na myśli**) in mind
nastawi/ać, ~ **am**, ~ **asz** set, (I) set, (you) set
nasta/wić (*perf*), ~ **wię**, ~ **wisz** set, (I)'ll set, (you)'ll set
obu/dzić się (*perf*), ~ **dzę**, ~ **dzisz** wake (up), (I)'ll wake, (you)'ll wake

pechowo unfortunately
pechow/y, ~ **a**, ~ **e** unfortunate, unlucky
poleż/eć, ~ **ę**, ~ **ysz** stay in bed
pomyl/ić się (*perf*), ~ **ę**, ~ **isz** make a mistake
pomyś/leć sobie (*perf*), ~ **lę**, ~ **lisz** think, (I)'ll think, (you)'ll think
przyj/ść (*perf*), ~ **dę**, ~ **dziesz** come, (I)'ll come, (you)'ll come
przysłowie proverb
sam (nie wiem) myself
sam (przyjdę później sam) on my own
stać się (*perf*), **stało się** happen, (it) happened
telefon (tele)phone
usłysz/eć (*perf*), ~ **ę**, ~ **ysz** hear, (I)'ll hear, (you)'ll hear

w ogóle at all
wsta/wać, ~ję, ~jesz get up, (I) get up, (you) get up
zacząć się (*perf*), zacznę, zaczniesz start, (I)'ll start, (you)'ll start
zadzwo/nić (*perf*), ~nię, ~nisz ring, (I)'ll ring, (you)'ll ring

zasnąć (*perf*), zasnę, zaśniesz fall asleep, (I)'ll fall asleep, (you)'ll fall asleep
zaspać (*perf*), zaśpię, zaśpisz oversleep, (I)'ll oversleep, (you)'ll oversleep
zasypi/ać, ~am, ~asz fall asleep, (I) fall asleep, (you) fall asleep

Phrases

budzik dzwoni the alarm-clock is ringing
co się stało? what's happened?
do zobaczenia see you (soon, later etc)
nastawić budzik (na godzinę)... set the alarm (-clock) (for six o'clock)

„**Głodnemu chleb na myśli**" *proverb* (literally:
"When you are hungry, you think about bread")

30

Podróż

Pan Kowalski wybiera się w podróż służbową. Jedzie do Poznania na Międzynarodowe Targi Poznańskie. Targi te odbywają się co roku. Przyjeżdżają na nie handlowcy z całego świata, wystawiają różne towary, zawierają umowy handlowe. Pan Kowalski będzie reprezentować na Targach zakłady, w których pracuje.

Pan Kowalski bierze z półki walizkę. Kładzie do niej dwie koszule, piżamę, przybory toaletowe: mydło, ręcznik, szczoteczkę do zębów, pastę, krem, maszynkę do golenia, wodę kolońską i szampon do włosów.

Żona przygotowuje dla niego kanapki na drogę. Woła do męża z kuchni:

— A czy włożyłeś do walizki sweter? A ranne pantofle? Nie zapomnij wziąć płaszcza nieprzemakalnego! Weź też ze sobą jakąś książkę do czytania.

Pan Kowalski jedzie pociągiem. Podróż do Poznania trwa cztery i pół godziny. Samolotem leciałby krócej, ale dziś jest gęsta mgła i nie wiadomo, czy lot nie zostanie odwołany. Może za kilka dni wróci samolotem do Warszawy.

Vocabulary

co roku every year
gęst/y, ~a, ~e thick
golenie shaving
handlowiec businessman
handlow/y, ~a, ~e commercial
kłaść, kładę, kładziesz put, (I) put, (you) put
krem cream
lecieć, lecę, lecisz fly, (I) fly, (you) fly

lot flight
maszynka (safety)-razor
mgła fog
międzynarodow/y, ~a, ~e international
nieprzemakaln/y, ~a, ~e waterproof
nie wiadomo, czy... there's no knowing, whether...
odbywać się, 3 pers odbywa się be held

odwołan/y, ~a, ~e cancelled
pantofle (ranne) slippers
pasta toothpaste
piżama pyjamas
płaszcz (nieprzemakalny) raincoat
półka shelf
przybory (toaletowe) toilet articles
przyjeżdż/ać, ~am, ~asz come, (I) come, (you) come
reprezent/ować, ~uję, ~ujesz represent, (I) represent, (you) represent
różn/y, ~a, ~e various
samolot plane
służbow/y, ~a, ~e business (*attrib*)
szampon shampoo

szczoteczka brush
targi fair
trw/ać, ~am, ~asz last, (I) last, (you) last
umowa contract, deal
woda water
wró/cić (*perf*), ~cę, ~cisz come back, (I)'ll come back, (you)'ll come back
wystawi/ać, ~am, ~asz display, (I) display, (you) display
wziąć (*perf*), wezmę, weźmiesz take, (I)'ll take, (you)'ll take
zakłady works
zawier/ać, ~am, ~asz enter into, (I) enter into, (you) enter into; conclude (a contract)

Phrases

kanapki na drogę sandwiches for the journey
krem do golenia shaving cream
maszynka do golenia safety-razor
Międzynarodowe Targi Poznańskie Poznań International Fair
pasta do zębów toothpaste
podróż służbowa business trip
przybory toaletowe toilet articles
ranne pantofle slippers
szczoteczka do zębów toothbrush
woda kolońska cologne, eau de cologne
zawierać umowę enter into a contract; conclude a contract; do a deal

Table 14

ŚRODKI LOKOMOCJI — MEANS OF TRANSPORT

auto car	pociąg train
autobus bus	rower bicycle
autokar coach	samochód car
ciężarówka lorry, truck	samolot plane
helikopter helicopter	statek ship
lokomotywa railway engine	taksówka taxi
łódka boat	tramwaj tram, street-car
metro underground (railway)	trolejbus trolley-bus

31
Coś o mężczyznach

— Zupełnie nie wiem, co kupić żonie na imieniny.
— To zapytaj o to żonę.
— Co za pomysł! Skąd ja wezmę tyle pieniędzy!?

*

— Dlaczego nie widać cię ostatnio z tą miłą blondynką, z którą chodziłeś w zeszłym roku?
— Wyszła za mąż.
— Za kogo?
— Za mnie.

*

W pociągu rozmawiają dwie przygodne znajome:
— Czy pani ma dzieci?
— Tak, mam syna.
— Syn pali?
— Nie.
— Pije?
— Też nie.
— A może przychodzi późno do domu?
— Nie.
— To pani ma wyjątkowego syna. A ile on ma lat?
— Rok i cztery miesiące, proszę pani.

*

— Wyobraź sobie — mówi przyjaciel do przyjaciela — ostatnio, jadąc na polowanie, zapomniałem zabrać broń.
— Co za pech! A kiedy to zauważyłeś? Na polowaniu?
— Nie, w domu, w chwili, kiedy wręczałem żonie zająca.

*

Mąż dzwoni do żony i mówi, że zaprosił na kolację przyjaciela. Na to żona:

— Ależ ja dziś robię pranie, zdjęłam z okien firanki, nie posprzątałam mieszkania, dziecko jest chore i ciągle płacze, ja mam katar i nie kupiłam nic na kolację!

— Nic nie szkodzi, moja droga, ten przyjaciel ma zamiar się ożenić i chciał zobaczyć, jak wygląda życie rodzinne.

Vocabulary

broń shot-gun
firanka curtain
lata (*pl* of **rok**) years
miesiąc month
ostatnio recently
pech bad luck
pić, piję, pijesz drink, (I) drink, (you) drink
płakać, płaczę, płaczesz cry, (I) cry, (you) cry
polowanie shooting party
pomysł idea
posprząt/ać (*perf*), ~ **am**, ~ **asz** tidy up, (I)'ll tidy up, (you)'ll tidy up
pranie laundry
przygodn/y, ~ **a,** ~ **e** chance, (*attrib*)
przyjaciel friend
rodzinn/y, ~ **a,** ~ **e** family (*attrib*)
rozmawi/ać, ~ **am,** ~ **asz** talk, (I) talk, (you) talk
sprząt/ać, ~ **am,** ~ **asz** clear up, (I) clear up, (you) clear up
szko/dzić, ~ **dzę,** ~ **dzisz** do harm

tyle so much
widać (kogoś z kimś) go about (with sb)
wręcz/ać, ~ **am,** ~ **asz** hand, (I) hand, (you) hand
wyjątkow/y, ~ **a,** ~ **e** exceptional
wyjść (*perf*), **wyjdę, wyjdziesz (za mąż)** (*past tense: 1st pers masc* **wyszedłem,** *fem* **wyszłam**) *here*: get (married)
za/brać (*perf*), ~ **biorę,** ~ **bierzesz** take, (I)'ll take, (you)'ll take
zając hare
zamiar intention
zapr/osić (*perf*), ~ **oszę,** ~ **osisz** invite, (I)'ll invite, (you)'ll invite
zauważ/yć (*perf*), ~ **ę,** ~ **ysz** notice, (I)'ll notice, (you)'ll notice
zdjąć (*perf*), **zdejmę, zdejmiesz** (*past tense: 1st pers masc* **zdjąłem,** *fem* **zdjęłam**) take down
zeszły last
znajom/y, ~ **a,** ~ **e** acquaintance

Phrases

co za pech! bad luck!
ile masz lat? how old are you?
mieć zamiar be about to (do sth)
nic nie szkodzi never mind
robić pranie do the laundry
wyjść za mąż get married
zeszły rok last year
życie rodzinne family life

32
W księgarni

Pan Nowak wszedł do księgarni.

— Proszę pani — zwrócił się do sprzedawczyni.
— Słucham pana!
— Może mi pani poradzi, co kupić na gwiazdkę dla żony i dzieci.
— Proszę bardzo — sprzedawczyni zaczęła wyjmować z półek i układać na ladzie różne książki. — Ostatnio ukazało się wiele nowości: album współczesnego malarstwa polskiego, książka o zabytkach architektury w Polsce, o polskiej sztuce ludowej, o historii Warszawy.
— A co nowego mają państwo z literatury pięknej?
— To w innym dziale — sprzedawczyni wskazała na drugi koniec sklepu.

Leszek Nowak ogląda książki. Wreszcie wybrał: dla żony — tom wierszy współczesnego poety, dla syna — opowiadania fantastyczno-naukowe, dla córeczki — powieść dla młodzieży, a dla siebie — lekturę „do poduszki" — tak zwany kryminał, czyli powieść kryminalną. A dla znajomego Włocha, który w przyszłym roku wybiera się do Polski i chce się uczyć języka polskiego, nowy podręcznik języka polskiego dla cudzoziemców. Sprzedawczyni zapakowała książki, pan Nowak zapłacił w kasie, wziął paczkę i wyszedł, zadowolony z zakupów.

Vocabulary

album album
architektura architecture
cudzoziemiec foreigner
cudzoziemka foreigner (a woman)
dział department
fantastyczno-naukowe science fiction (*attrib*)
gwiazdka Christmas
koniec end
kryminaln/y, ~a, ~e criminal
kryminał detective story, thriller
księgarnia bookshop
lada counter
lektura reading
literatura literature
ludow/y, ~a, ~e folk
malarstwo painting
młodzież youth
nowość novelty; sth new (*eg*: a book)
opowiadanie story
paczka parcel
piękn/y, ~a, ~e beautiful
podręcznik textbook
poduszka pillow
poeta poet
poetka poetess

pora/dzić (*perf*), **~dzę, ~dzisz** advise, (I)'ll advise, (you)'ll advise
powieść novel
sprzedawczyni shop-assistant
tak zwany (*abbr*: **tzw.**) so-called
tom volume
uk/azać się (*perf*), **~ażę, ~ażesz** come out, (I)'ll come out, (you)'ll come out
układ/ać, ~am, ~asz put down, (I) put down, (you) put down
wejść (*perf*), **wejdę, wejdziesz;** (*past tense 1st pers masc* **wszedłem,** *fem* **weszłam**) go in
wiele many, a lot of
wiersz poem
Włoch Italian
wsk/azać (*perf*), **~ażę, ~ażesz** point to, (I)'ll point to, (you)'ll point to
współczesn/y, ~a, ~e contemporary
wy/brać (*perf*), **~biorę, ~bierzesz** choose, (I)'ll choose, (you)'ll choose
zabytek monument
zadowolon/y, ~a, ~e pleased
zapł/acić (*perf*), **~acę, ~acisz** pay, (I)'ll pay, (you)'ll pay
zwró/cić się (*perf*), **~cę, ~cisz** turn to, (I)'ll turn to, (you)'ll turn to

Phrases

co nowego? what's new?
(lektura) do poduszki light reading
literatura piękna fiction
słucham pana (panią) can I help you, sir (madam)?

Kto jest poetą

poetą jest ten który pisze wiersze
i ten który wierszy nie pisze
poetą jest ten który zrzuca więzy
i ten który więzy sobie nakłada
poetą jest ten który wierzy
i ten który uwierzyć nie może
poetą jest ten który kłamał
i ten którego oszukano
ten który upadł
i ten który się podnosi
poetą jest ten który odchodzi
i ten który odejść nie może

Tadeusz Różewicz

Vocabulary

kła/mać, ~ mię, ~ miesz lie, (I) lie, (you) lie
nakład/ać, ~ am, ~ asz put on, (I) put on,
(you) put on
odcho/dzić, ~ dzę, ~ dzisz leave, (I) leave,
(you) leave
odej/ść (*perf*), ~ dę, ~ dziesz leave, (I)'ll
leave, (you)'ll leave
oszuk/ać, ~ am, ~ asz deceive, (I) deceive,
(you) deceive

podn/osić się, ~ oszę, ~ osisz rise, (I) rise,
(you) rise
upad/ać, ~ am, ~ asz fall, (I) fall, (you)
fall
uwierz/yć (*perf*), ~ ę, ~ ysz believe, (I)'ll
believe, (you)'ll believe
więzy fetters
zrzuc/ać, ~ am, ~ asz throw off, (I) throw
off, (you) throw off

33

U fryzjera

U fryzjera czekają klienci.
— Kto następny? — pyta fryzjer i już kolejny klient siada na fotelu.
Fryzjer okrywa go białym ręcznikiem i bierze do ręki grzebień i nożyczki.

— Słucham pana — mówi. — Ostrzyc? Ogolić?
— Proszę mnie ostrzyc — odpowiada klient. — Niech pan skróci włosy z przodu i z boku, a z tyłu niech pan zostawi dłuższe.
— Zrobić przedziałek?
— Tak, bardzo proszę.
Po ostrzyżeniu fryzjer czesze klienta, kropi włosy wodą kolońską, zdejmuje ręcznik i czyści szczotką ubranie.

*

— Błagam panią, panno Basiu, niech mnie pani szybko uczesze — mówi klientka do fryzjerki. — Idę na ślub przyjaciółki.
— Postaram się — odpowiada panna Basia. — A jak mam panią uczesać?
— Proszę mi umyć głowę, potem trochę obciąć włosy na karku i nad uszami i skrócić grzywkę.
— Zakręcić loczki?
— Nie, dziękuję. Tylko niech mi pani trochę rozjaśni włosy z przodu.
Fryzjerka zręcznie myje włosy, strzyże, rozjaśnia, czesze. Już fryzura jest gotowa. Klientka przegląda się w lustrze ze wszystkich stron i uśmiecha się zadowolona.

Vocabulary

błag/ać, ~am, ~asz beg, (I) beg, (you) beg
bok side
czesać, czeszę, czeszesz dress (hair), (I) dress, (you) dress
czyścić, czyszczę, czyścisz brush, (I) brush, (you) brush
fryzjer hairdresser, barber
fryzjerka hairdresser (a woman)
fryzura hair-do
go/lić, ~lę, ~lisz shave, (I) shave, (you) shave
grzebień comb
grzywka fringe
kark nape
klient customer
klientka customer (a woman)

kolejn/y, ~a, ~e next
kro/pić, ~pię, ~pisz sprinkle, (I) sprinkle, (you) sprinkle
loczek lock, curl
myć, myję, myjesz wash, (I) wash, (you) wash
nożyczki scissors
obciąć (*perf*), **obetnę, obetniesz** cut, (I)'ll cut, (you)'ll cut
obcin/ać, ~am, ~asz cut, (I) cut, (you) cut
ogo/lić (*perf*), **~lę, ~lisz** shave, (I)'ll shave, (you)'ll shave
okryw/ać, ~am, ~asz wrap, (I) wrap, (you) wrap
ostrzyc (*perf*), **ostrzygę, ostrzyżesz** cut (hair), (I)'ll cut, (you)'ll cut

85

ostrzyżenie haircut
postar/ać się (*perf*), ~am, ~asz try, (I)'ll try, (you)'ll try
przedziałek parting
przegląd/ać się, ~am, ~asz look over, (I) look over, (you) look over
przód front
przyjaciółka friend (a woman)
rozjaśni/ać, ~am, ~asz lighten, (I) lighten, (you) lighten
rozjaś/nić (*perf*), ~nię, ~nisz (I)'ll lighten, (you)'ll lighten
strzyc, strzygę, strzyżesz cut, (I) cut, (you) cut
szczotka brush
tył back
ucho (*pl* uszy) ear
uczesać (*perf*), uczeszę, uczeszesz dress, (I)'ll dress, (you)'ll dress

umyć (perf), umyję, umyjesz wash, (I)'ll wash, (you)'ll wash
uśmiech/ać się, ~am, ~asz smile, (I) smile, (you) smile
zakrę/cić (*perf*), ~cę, ~cisz curl, (I)'ll curl, (you)'ll curl
zdejm/ować, ~uję, ~ujesz take off, (I) take off, (you) take off
zdjąć (*perf*), zdejmę, zdejmiesz take off, (I)'ll take off, (you)'ll take off
zostawi/ać, ~am, ~asz leave, (I) leave, (you) leave
zosta/wić (*perf*), ~wię, ~wisz leave, (I)'ll leave, (you)'ll leave
zręcznie deftly
zro/bić (*perf*), ~bię, ~bisz make, do, (I)'ll make, (you)'ll make

Phrases

skrócić włosy cut hair; have a haircut
z boku at the sides
z przodu in front
z tyłu at the back

34

W aptece

W aptece jak to w aptece:
okropnie długi ogonek.
Tu na recepty. Tutaj bez recept.
Czym mogę służyć? Załatwione.
Rycyna.
Pigułki.
Olej.
Proszę bardzo, teraz pani kolej.

— A pan szanowny nie brał nic jeszcze?
Czemu pan tak stoi i stoi?
— Bo ja poproszę, panie magistrze,
o ten różowy słoik.
— Różowy?
To są proszki od bólu głowy.
— Ja jestem stary, panie magistrze,
Mnie boli tamto i to,
więc chcę mieć szkiełko najprzezroczystsze,
żebym mógł patrzeć, panie magistrze,
żebym mógł patrzeć przez szkło.
Świat stanie się różowy, różowy,
a ja będę już zdrowy...

Joanna Kulmowa

*

W aptece sąsiadka państwa Kowalskich pyta farmaceutkę:
— Przepraszam, czy pani jest magistrem farmacji?
— Tak.
— A od jak dawna?
— Od dawna, od piętnastu lat.
— A gdzie pani ukończyła studia? W Warszawie?
— Tak.
— Z jakim wynikiem?
— Z bardzo dobrym. Dostałam dyplom z wyróżnieniem.
— Jeżeli tak, to poproszę o proszki od bólu głowy.

*

— Czy dostanę coś na katar?
— Proszę bardzo, tu są krople do nosa i tabletki.
— Czy te lekarstwa działają szybko?
— Jeżeli będzie je pan zażywać regularnie, to katar minie panu za siedem dni, a jeśli nie będzie pan ich zażywać, to aż za tydzień.

Vocabulary

apteka chemist's shop
bez without
czemu? why
dost/ać (*perf*), ~anę, ~aniesz get, (I)'ll get,
   (you)'ll get
dyplom diploma
dział/ać, ~am, ~asz act, (I) act, (you) act
farmaceuta pharmacist
farmaceutka pharmacist (a woman)
farmacja pharmacy
kolej turn
kropla (*pl* krople) drop
magister master (*as in*: Master of
   Arts/Science)
minąć (*perf*), minę, miniesz pass off, (I)'ll
   pass off, (you)'ll pass off
ogonek queue, line
okropnie awfully, very (much)
olej oil
pigułka pill
przepraszam excuse me
przezroczyst/y, ~a, ~e transparent

regularnie regularly
różow/y, ~a, ~e pink
rycyna castor oil
słoik jar
służ/yć, ~ę, ~ysz serve, (I) serve, (you)
   serve
sta/ć się (*perf*), ~nę, ~niesz become, (I)'ll
   become, (you)'ll become
studia studies
szanown/y, ~a, ~e respectable
szkiełko (a piece of) glass
szkło glass
tabletka tablet
tydzień week
wynik result
wyróżnienie honours (degree)
załat/wić (*perf*), ~wię, ~wisz settle, (I)'ll
   settle, (you)'ll settle
załatwion/y, ~a, ~e settled
zażyw/ać, ~am, ~asz take, (I) take, (you)
   take

Phrases

czym mogę służyć? what can I do for you?

Poem 5

Znam hasło: „Czas to pieniądz!" ... Jakże je osądzę,
Skoro mnie pozostawia w ciężkim ambarasie:
Co czynić? Czy czas tracić, by zyskać pieniądze,
Czy raczej wydać pieniądz, by zyskać na czasie?

Pewien złośliwy problem sen mi z oczu płoszy,
Sprzeczność, której nie mogę uznać bez prostestu:
Czemu, kto ma pięćdziesiąt, ma dwadzieścia groszy,
Ale kto ma pięćdziesiąt lat, nie ma dwudziestu?

Tadeusz Kotarbiński, from „Wesołe smutki"

Vocabulary

ambaras embarrassment
by in order to
czy/nić, ~ nię, ~ nisz do, (I) do, (you) do
hasło motto, slogan
osą/dzić (*perf*), ~ dzę, ~ dzisz judge, (I)'ll
  judge, (you)'ll judge
płosz/yć, ~ ę, ~ ysz scare, (I) scare, (you)
  scare
pozostawi/ać, ~ am, ~ asz leave, (I) leave,
  (you) leave
problem problem
protest protest

raczej rather
skoro since
sprzeczność discrepancy
stra/cić (*perf*), ~ cę, ~ cisz lose, (I)'ll lose,
  (you)'ll lose
uzn/ać (*perf*), ~ am, ~ asz accept, (I)'ll
  accept, (you)'ll accept
wyd/ać (*perf*), ~ am, ~ asz spend, (I)'ll
  spend, (you)'ll spend
złośliw/y, ~ a, ~ e vicious
zysk/ać (*perf*), ~ am, ~ asz gain, (I)'ll gain,
  (you)'ll gain

Phrases

płoszyć sen keep sb awake
zyskać na czasie gain time

35
Na poczcie

Jurek Nowak poszedł na pocztę. Wszedł do budynku urzędu pocztowego i stanął przed okienkiem z napisem:

TELEGRAF   TELEFON

Jurek zamówił rozmowę międzymiastową z Warszawą. Czekając na połączenie, obserwował ludzi na poczcie.
Wysoki pan w kapeluszu kupował znaczki przy okienku z napisem:

LISTY POLECONE

Pani w futrze płaciła rachunki za mieszkanie i za światło, młody chłopak w kurtce wpłacał pieniądze na książeczkę oszczędnościową PKO. Starsza, siwa pani w brązowym płaszczu siedziała przy stoliku i wypełniała blankiet telegraficzny.

Po chwili wstała i zapytała Jurka:

— Przepraszam pana, czy pan stoi w kolejce do tego okienka? Chciałabym nadać telegram.

Jurek odpowiedział uprzejmie:

— Nie, proszę pani, ja czekam na zamówioną rozmowę telefoniczną.

W tej chwili właśnie urzędniczka zawołała:

— Warszawa 21-65-34! Kabina czwarta!

Jurek wszedł do kabiny, żeby porozmawiać z rodzicami przez telefon.

Vocabulary

blankiet form
brązow/y, ~a, ~e brown
futro fur (coat)
kabina booth, call-box
książeczka book
kurtka jacket

międzymiastow/y, ~a, ~e trunk (*attrib*), long-distance
nad/ać (*perf*), **~am, ~asz** send, (I)'ll send, (you)'ll send
napis inscription, sign
okienko counter

oszczędność saving
oszczędnościow/y, ~a, ~e savings (*attrib*)
PKO (*abbreviation of*: **Powszechna Kasa Oszczędności** National Savings Bank)
poczta post
polecon/y, ~a, ~e registered
połączenie connection
porozmawi/ać (*perf*), ~am, ~asz talk, (I)'ll talk, (you)'ll talk
rachunek bill
siw/y, ~a, ~e grey
sta/nąć (*perf*), ~nę, ~niesz stand, (I)'ll stand, (you)'ll stand
starsz/y, ~a, ~e elderly
światło electricity

telefon telephone
telefoniczn/y, ~a, ~e telephone (*attrib*)
telegraf telegraph
telegraficzn/y, ~a, ~e telegraph (*attrib*)
telegram telegram
uprzejmie politely
urząd office
urzędniczka clerk (a woman)
właśnie just, exactly
wpłac/ać, ~am, ~asz pay in/ into, (I) pay in, (you) pay in
wypełni/ać, ~am, ~asz fill in, (I) fill in, (you) fill in
zamó/wić (*perf*), ~wię, ~wisz put in (a call), (I)'ll put in, (you)'ll put in

Phrases

książeczka oszczędnościowa (PKO) savings-bank book
list polecony registered letter
rozmowa międzymiastowa trunk-call, long-distance call
rozmowa telefoniczna phone call
starsza pani elderly lady
starszy pan elderly gentleman
urząd pocztowy post office

P o e m 6

Listopad i listonosz
(excerpts)

Jest listopad czarny, trochę złoty,
mokre lustro trzyma w ręku ziemia.
W oknie domu płacze żal tęsknoty:
Nie ma listów! Listonosza nie ma! [...]

Listonosza zasypały liście,
serc i trąbek złocista ulewa!
Ach! i przepadł w zamęcie i świście
list, liść biały z kochanego drzewa!...

Maria Pawlikowska-Jasnorzewska

Vocabulary

listonosz postman
liść leaf
mokr/y, ~**a,** ~**e** wet
prze/paść (*perf*), ~**padnę,** ~**padniesz**
disappear, (I)'ll disappear, (you)'ll disappear
świst whiz
trąbka trumpet

trzym/ać, ~**am,** ~**asz** hold, (I) hold, (you) hold
ulewa shower
zamęt confusion
zasy/pać (*perf*), ~**pię,** ~**piesz** cover, (I)'ll cover, (you)'ll cover
złocist/y, ~**a,** ~**e** golden
żal sorrow

36
Kto pyta, nie błądzi

Pani Anna Kowalska szła zamyślona Krakowskim Przedmieściem. Przechodziła właśnie koło księgarni, kiedy nagle usłyszała głos:

— Bardzo panią przepraszam, czy może mi pani powiedzieć, jak dojechać stąd na lotnisko?

Pani Anna zatrzymała się i zobaczyła miłą starszą panią trzymającą w ręku niewielką walizeczkę.

— Oczywiście, chętnie pani wytłumaczę — odpowiedziała i zastanowiła się przez dłuższą chwilę.

— Widzi pani — powiedziała — to trochę skomplikowane, bo stąd nie ma bezpośredniego połączenia, będzie pani musiała się przesiadać. Wsiądzie pani w autobus 171 i dojedzie do skrzyżowania Świętokrzyskiej i Marszałkowskiej. Tam wsiądzie pani w jakikolwiek tramwaj jadący w kierunku Mokotowa, na przykład w dwójkę, czwórkę lub piętnastkę. Tramwajem dojedzie pani do placu Konstytucji. Stamtąd odchodzą autokary LOT-u na lotnisko.

— A czy nie lepiej pojechać taksówką? — zapytała starsza pani.

— Oczywiście, że lepiej. Postój taksówek jest koło pałacu Staszica — siedziby Polskiej Akademii Nauk — przy pomniku Kopernika.

— Dziękuję pani uprzejmie — powiedziała starsza pani. — Do widzenia.

— Do widzenia. Szczęśliwej podróży!

Vocabulary

akademia academy
autokar coach
bezpośredni, ~**a,** ~**e** direct
błą/dzić, ~**dzę,** ~**dzisz** stray, (I) stray, (you) stray
chętnie willingly
do/jechać (*perf*), ~**jadę,** ~**jedziesz** get to, (I)'ll get to, (you)'ll get to
jakikolwiek, jakakolwiek, jakiekolwiek any
koło (*preposition*) by
konstytucja constitution

Krakowskie Przedmieście a street in Warsaw
lepiej better
LOT Polish Airlines
lotnisko airport
Marszałkowska one of the main streets in Warsaw
Mokotów a district of Warsaw
nagle suddenly
na przykład (*abbreviation*: **np.**) for example
nauka science

93

niewiel/ki, ~ka, ~kie smallish
odpowie/dzieć (*perf*), ~m, ~sz answer, (I)'ll answer, (you)'ll answer
pałac Staszica the seat of Polish Academy of Sciences
plac Konstytucji a square in the centre of Warsaw
po/jechać (*perf*), ~jadę, ~jedziesz go, (I)'ll go, (you)'ll go,
Polska Akademia Nauk Polish Academy of Sciences
postój taxi rank
prze/siadać się, ~siądę, ~siądziesz change (*means of transport*), (I)'ll change, (you)'ll change
siedziba seat
skomplikowan/y, ~a, ~e complicated

skrzyżowanie crossing
stamtąd from there
stąd from here
Świętokrzyska a street in Warsaw
taksówka taxi
walizeczka (*dim*) a small suitcase
wsiąść (*perf*), wsiądę, wsiądziesz get in, (I)'ll get in, (you)'ll get in
wytłumacz/yć (*perf*), ~ę, ~ysz explain, (I)'ll explain, (you)'ll explain
zamyślon/y, ~a, ~e pensive, lost in thought
zastano/wić się (*perf*), ~wię, ~wisz consider, (I)'ll consider, (you)'ll consider
zatrzym/ać się (*perf*), ~am, ~asz stop, (I)'ll stop, (you)'ll stop

37
Jak się ubrać?

Leszek Nowak właśnie skończył jeść śniadanie i wybiera się do pracy.

— Gdzie jest moja teczka? — pyta.

— Jak to: gdzie? Tam, gdzie ją wczoraj położyłeś, na stoliku w przedpokoju — odpowiada żona.

— Ja jej tam nie kładłem — upiera się Leszek.

— Bo ty nigdy nie pamiętasz, gdzie kładziesz swoje rzeczy — mówi pani Danuta. — Zresztą, nie kłóć się, bo się spóźnisz do pracy. Masz tu drugie śniadanie.

Leszek wkłada do teczki zawinięte w papier kanapki, poprawia krawat, sprawdza, czy ma w kieszeni długopis, klucze i czystą chusteczkę do nosa.

— Już wychodzisz? — pyta żona. — Poczekaj chwilę, ja już też idę, zaraz będę gotowa.

Leszek stoi w przedpokoju i czeka. Włożył lekki płaszcz nieprzemakalny, w ręku trzyma teczkę i parasol.

— Włożyłaś już płaszcz? Może padać deszcz.
— Włożyłam, ale chyba zdejmę. W płaszczu będzie mi za ciepło. Włożę sweter.
— A wzięłaś parasolkę?
Pani Danuta nie odpowiada, zdejmuje płaszcz i przegląda się w lustrze.
— Będę musiała zmienić spódnicę — mówi. — Ta nie pasuje do jasnego swetra. Włożę też inną bluzkę.
— Nie będę dłużej czekał, bo spóźnię się do pracy — mówi mąż i wychodzi.

Po krótkim namyśle pani Danuta znowu się przebiera: zdejmuje spódnicę, bluzkę i sweter, wkłada natomiast suknię i płaszcz. Jest już prawie gotowa. Jeszcze tylko będzie musiała znaleźć swoją torebkę i parasolkę. Ale z tym nie będzie kłopotu: pani Danuta zawsze doskonale pamięta, gdzie kładzie swoje rzeczy.

Vocabulary

bluzka blouse
chusteczka handkerchief
czysty clean
długopis ballpoint-pen
doskonale perfectly
kieszeń pocket
klucz key
kłopot trouble
namysł reflection
pamięt/ać, ~am, ~asz remember, (I) remember, (you) remember
papier paper
parasolka umbrella
położ/yć (*perf*), **~ę, ~ysz** put, (I)'ll put, (you)'ll put
popraw/iać, ~am, ~asz straighten, (I) straighten, (you) straighten

spódnica skirt
sprawdz/ać, ~am, ~asz check, (I) check, (you) check
suknia dress
swój, swoja, swoje his, her, its
teczka briefcase
torebka handbag
upier/ać się, ~am, ~asz insist, (I) insist, (you) insist
wkład/ać, ~am, ~asz put on, (I) put on, (you) put on
zawi/nąć (*perf*), **~nę, ~niesz** wrap up, (I)'ll wrap up, (you)'ll wrap up
zmie/nić (*perf*), **~nię, ~nisz** change, (I)'ll change, (you)'ll change
znowu again

Phrases

chusteczka do nosa handkerchief

38

Coś o kobietach

Pierwszą nagrodę w konkursie czasopisma kobiecego na temat: „Jak się ma ubrać kobieta wybierająca się do teatru?" otrzymał mężczyzna za odpowiedź: „Szybko!"

*

Lekarz do pacjentki:
— Ile pani ma lat?
— Trzydzieści dwa...
— Naprawdę?
— ... i czterdzieści osiem miesięcy.

*

— Powiedz mi Kasiu, ile ma teraz lat człowiek, który się urodził w roku tysiąc dziewięćset trzydziestym drugim?
— Mężczyzna czy kobieta?

*

Dyrektor do sekretarki:
— Proszę natychmiast wysłać do mego domu telegram, żeby córka odłożyła choć na chwilę słuchawkę, bo muszę porozmawiać z żoną.

*

W przedziale siedzi jakaś pani z małym synkiem, a naprzeciw nich jakiś pan. Synek co chwila pyta tego pana:
— Ile pan ma lat?
— Czterdzieści dwa.
— A czy jest pan żonaty?
— Nie.
Po kilku dalszych pytaniach i odpowiedziach synek zwraca się do mamy:
— Czego jeszcze chciałabyś się dowiedzieć, mamusiu?

*

— Jesteśmy już dwa lata po ślubie i ani razu nie pokłóciłam się z mężem. Jeśli wynikają jakieś różnice zdań, Władek zawsze ustępuje.
— A jeśli on ma rację?
— O, to się nigdy jeszcze nie zdarzyło!

Vocabulary

ani razu not once
choć (*particle*) at least
czasopismo magazine
dalsz/y, ~a, ~e further
dowiedzieć się (*perf*), **dowiem się, dowiesz się** learn, (I)'ll learn, (you)'ll learn
dyrektor director
kobiec/y, ~a, ~e women's
konkurs contest
mamusia (*dim*) mummy
nagroda prize
naprzeciw opposite
natychmiast at once
odłoż/yć (*perf*), **~ę, ~ysz** replace, (I)'ll replace, (you)'ll replace
odpowiedź answer
otrzym/ać (*perf*), **~am, ~asz** receive, (I)'ll receive, (you)'ll receive

pacjentka patient (a woman)
pokłó/cić się (*perf*), **~cę, ~cisz** quarrel, (I)'ll quarrel, (you)'ll quarrel
przedział compartment
pytanie question
różnica difference
sekretarka secretary
słuchawka receiver
synek (*dim*) son
temat subject
ustęp/ować, ~uję, ~ujesz give in, (I) give in, (you) give in
wynikać, *3 pers* **wynika** arise, (it) arises
wysłać (*perf*), **wyślę, wyślesz** send, (I)'ll send, (you)'ll send
zdanie opinion
zdarzyć się (*perf*), *3 pers* **zdarzy się** happen, (it)'ll happen

39
Państwo Kowalscy oglądają telewizję

Państwo Kowalscy kupili sobie kolorowy telewizor. Mały Jacek bardzo lubi oglądać program dla dzieci: bajki, filmy rysunkowe, przedstawienia teatru lalek.

A dorośli? Państwo Kowalscy chętnie oglądają reportaże z dalekich krajów, filmy dla dorosłych, teatr telewizji. Co dzień wieczorem włączają telewizor, żeby obejrzeć dziennik telewizyjny. Nie zawsze w ciągu dnia mają czas na czytanie prasy.

W dzienniku telewizyjnym nadawane są wiadomości z całego świata, informacje o nowych wydarzeniach w życiu politycznym, gospodarczym, społecznym i kulturalnym w kraju i za granicą. Jacek też ogląda dziennik telewizyjny, jedząc z rodzicami kolację. Nie wszystko jeszcze rozumie, ale lubi patrzeć na kolorowy ekran. Najbardziej interesuje go sport i prognoza pogody na jutro. Dopiero po dzienniku idzie spać — niechętnie, bo właśnie zaczyna się film dozwolony tylko dla dorosłych. Chciałby go obejrzeć, ale mama nie pozwala.

Vocabulary

bajka fairytale
ciąg course
co dzień every day
dozwolon/y, ~a, ~e permitted
dziennik TV news
ekran screen
film film
gospodarcz/y, ~a, ~e economic
informacja information
interes/ować, ~uję, ~ujesz interest, (I) interest, (you) interest
kolorow/y, ~a, ~e colour (*attrib*)
kraj country
kulturaln/y, ~a, ~e cultural
na/dawać, ~daję, ~dajesz broadcast, (I) broadcast, (you) broadcast
obejrzeć (*perf*), ~ę, ~ysz watch, (I)'ll watch, (you)'ll watch
politiczn/y, ~a, ~e political
pozwal/ać, ~am, ~asz allow, (I) allow, (you) allow

pozwo/lić (*perf*), ~lę, ~lisz allow, (I)'ll allow, (you)'ll allow
prasa the press
prognoza forecast
przedstawienie performance
reportaż coverage
rozumi/eć, ~em, ~esz understand, (I) understand, (you) understand
rysunek drawing, cartoon
rysunkow/y, ~a, ~e cartoon (*attrib*)
społeczn/y, ~a, ~e social
sport sport
świat world
telewizor TV set
wiadomość a piece of news
włącz/ać, ~am, ~asz turn sth on, (I) turn sth on, (you) turn sth on
wydarzenie event
zagranica, za granicą, z zagranicy abroad
za granicę abroad

Phrases

dalekie kraje far-away countries
dziennik telewizyjny TV news
film rysunkowy cartoon (film)
interesuje go sport he is interested in sport
teatr lalek puppet shows
teatr telewizji TV theatre
w ciągu dnia by day

Dziś w telewizji — TV Programme Today:

16.00 — **Dziennik** TV News
16.20 — **Reportaż z Huty „Katowice"** Steelworks "Katowice" — Report
17.30 — **Film rysunkowy dla dzieci: Bolek i Lolek** Cartoons: Bolek and Lolek
18.00 — **Tele-Echo** Tele-Echo Interviews
19.00 — **Dobranoc: Bajka dla dzieci** Goodnight: Children's Story
19.10 — **Program dla młodzieży** Youth Programme
19.30 — **Dziennik** TV News
20.30 — **Teatr Telewizji: Aleksander Fredro „Zemsta"** TV Theatre: "Zemsta" by Aleksander Fredro
22.10 — **Wiadomości sportowe** Sports Round-up
22.35 — **Reportaż filmowy** Film Report
23.20 — **Ostatnie wiadomości** Late-night News

Poem 7

Spotkanie z matką
(an excerpt)

Ona mi pierwsza pokazała księżyc
i pierwszy śnieg na świerkach,
i pierwszy deszcz.

Byłem wtedy mały jak muszelka,
a czarna suknia matki szumiała jak Morze Czarne.
Noc.
Dopala się nafta w lampce.
Lamentuje nad uchem komar.
Może to ty, matko, na niebie
jesteś tymi gwiazdami kilkoma?

Albo na jeziorze żaglem białym?
Albo falą w brzegi pochyłe?
Może twoje dłonie posypały
mój manuskrypt gwiaździstym pyłem?

A możeś jest południowa godzina,
mazur pszczół w złotych sierpnia pokojach?
Wczoraj szpilkę znalazłem w trzcinach —
od włosów. Czy to nie twoja?

Konstanty Ildefons Gałczyński

Vocabulary

brzeg shore
dłoń palm, hand
dopal/ać się, ~am, ~asz burn out, (I) burn out, (you) burn out
fala wave
jezioro lake
komar mosquito
księżyc moon
lament/ować, ~uję, ~ujesz lament, (I) lament, (you) lament
lampka (dim) a small lamp
manuskrypt manuscript
mazur mazurka
morze sea
Morze Czarne Black Sea
muszelka (dim) a small shell

nafta paraffin oil
pochył/y, ~a, ~e sloping
poka/zać (perf), ~żę, ~żesz show, (I)'ll show, (you)'ll show
południow/y, ~a, ~e southern
posy/pać (perf), ~pię, ~piesz sprinkle, (I)'ll sprinkle, (you)'ll sprinkle
pszczoła bee
pył dust
sierpień August
szpilka (hair) pin
szu/mieć, ~mię, ~misz swish, (I) swish, (you) swish
świerk spruce
trzcina reed
żagiel sail

40
Imieniny pani Anny

Dziś, dwudziestego szóstego lipca, są imieniny pani Anny Kowalskiej. Rano złożyli jej życzenia imieninowe mąż i syn. Imieniny pani Anny wypadają w lecie, dostaje więc zawsze dużo kwiatów.

Wieczorem pani Anna spodziewa się zaproszonych gości. Nakryła już stół białym obrusem i ustawia na nim zimne zakąski: śledzie, rybę po grecku, wędliny, pięknie pokrojony schab. W piecyku pieką się już kurczęta, które pani Anna poda gościom na gorąco z kartoflami i mizerią. A w lodówce stoi wódka, napoje chłodzące i smaczny tort.

Ktoś dzwoni do drzwi. To wchodzi pierwszy gość — ciocia Józia z bukietem kwiatów i prezentem imieninowym.

Ciocia Józia całuje solenizantkę i składa jej serdeczne życzenia zdrowia, szczęścia i wszelkiej pomyślności.

— A tu mam coś dla ciebie — mówi — ciepły szalik! Sama go zrobiłam na drutach.

Pani Anna dziękuje za życzenia i prezent, śmiejąc się.

— Mój Boże — myśli — ta ciocia Józia zawsze daje takie praktyczne prezenty! Wełniany szalik w lipcu! Solenizantka zdejmuje fartuszek i przegląda się w lustrze, poprawiając fryzurę. Powinna dziś ładnie wyglądać. Za chwilę przyjdzie reszta gości.

Vocabulary

bukiet bouquet
cał/ować, ~**uję,** ~**ujesz** kiss, (I) kiss, (you) kiss
chłodząc/y, ~**a,** ~**e** soft (drinks)
dost/awać, ~**aję,** ~**ajesz** get, (I) get, (you) get
drut knitting-needle
druty knitting-needles
dzięk/ować, ~**uję,** ~**ujesz** thank, (I) thank, (you) thank
fartuszek (*dim*) apron
gość guest
imieninow/y, ~**a,** ~**e** name-day (*attrib*)
kurczę (*pl* **kurczęta**) chicken
mizeria cucumber salad
nakr/yć (*perf*), ~**yję,** ~**yjesz** cover, (I)'ll cover, (you)'ll cover
napój drink
piec, piekę, pieczesz roast, (I) roast, (you) roast
piec się roast
piecyk oven
po/kroić (*perf*), ~**kroję,** ~**kroisz** slice, (I)'ll slice, (you)'ll slice
pokrojony sliced
pomyślność prosperity

powinien, powinna, powinno (he, she, it) should
praktyczn/y, ~**a,** ~**e** practical
prezent present
reszta the rest
schab pork joint
solenizant (man)
solenizantka (woman) } persons celebrating their name-day
spodziew/ać się, ~**am,** ~**asz** expect, (I) expect, (you) expect
szalik scarf
szczęście happiness
śledź herring
tort layer-cake
ustawi/ać, ~**am,** ~**asz** put, (I) put, (you) put
wcho/dzić, ~**dzę,** ~**dzisz** come in, (I) come in, (you) come in
wędlina smoked meat
wódka vodka
wszelki, wszelka, wszelkie every
wypad/ać, 3 *pers* **wypada** fall, it falls
zakąski hors d'oeuvres
zdrowie health
zro/bić (*perf*), ~**bię,** ~**bisz** make, (I)'ll make, (you)'ll make
życzenie wish

Phrases

(podać) na gorąco (serve) hot
ryba po grecku a fish dish (served cold)
robić na drutach knit
składać życzenia — **złożyć życzenia (imieninowe)** wish many happy returns of the day

Table 15

MIESIĄCE I PORY ROKU — MONTHS AND SEASONS OF THE YEAR

MIESIĄCE — MONTHS		PORY ROKU — SEASONS
styczeń January	lipiec July	wiosna spring
luty February	sierpień August	lato summer
marzec March	wrzesień September	jesień autumn
kwiecień April	październik October	zima winter
maj May	listopad November	
czerwiec June	grudzień December	

41

Coś o zwierzętach

— Wiesz, dlaczego lew ma taką dużą głowę?
— Nie.
— Żeby nie mógł jej wysunąć przez kratę.

*

Babcia do wnuka:
— Po co przyniosłeś tego kruka do domu?
Wnuczek:
— Ciekawy jestem, czy to prawda, że kruk żyje sto lat.

*

— Tatusiu, czy wąż ma ogon?
— Wyłącznie.

*

Wyścigi wygrał ośmioletni koń, który brał w nich udział po raz pierwszy. Na pytanie, dlaczego właściciel tak późno zgłosił swojego konia na wyścigi, usłyszano odpowiedź:
— Przez siedem lat nie można go było złapać!

— Mamo, pan nauczyciel pochwalił mnie dzisiaj na lekcji śpiewu
— chwali się mała Iwonka.
— To dobrze, moje dziecko. A co ci powiedział? — pyta mama.
— Że śpiewam jak ptaszek... Ale zapomniałam, jak się ten ptaszek
nazywa.
— Może słowik? — podpowiada mama.
— Nie, to była inna nazwa.
— Może skowronek?
— Nie, nie, poczekaj, mamo, zaraz sobie przypomnę. Już wiem, pan
nauczyciel powiedział: „Iwonko, ty śpiewasz jak pawian".

Vocabulary

chwa/lić, ~ **lę,** ~ **lisz** praise, (I) praise, (you) praise

chwalić się, ~ **lę,** ~ **lisz** boast

ciekaw/y, ~ **a,** ~ **e** curious

koń horse

krata grille

kruk raven

lew lion

nazwa name

ogon tail

ośmioletni, ~ **a,** ~ **e** eight-year-old

pawian baboon

pochwa/lić (*perf*), ~ **lę,** ~ **lisz** praise, (I)'ll praise, (you)'ll praise

pochwalić się (*perf*) boast

podpowiad/ać, ~ **am,** ~ **asz** prompt, (I) prompt, (you) prompt

przy/nieść (*perf*), ~ **niosę,** ~ **niesiesz** bring, (I)'ll bring, (you)'ll bring

przypom/nieć sobie (*perf*), ~ **nę,** ~ **nisz** remember, (I)'ll remember, (you)'ll remember

ptaszek (*dim*) little bird

skowronek skylark

słowik nightingale

udział participation

wąż snake

właściciel owner

wygr/ać (perf), ~ **am,** ~ **asz** win, (I)'ll win, (you)'ll win

wyłącznie solely, exclusively

wysu/nąć (*perf*), ~ **nę,** ~ **niesz** stick out, (I)'ll stick out, (you)'ll stick out

wyścigi races

zgł/osić (*perf*), ~ **oszę,** ~ **osisz** put sb down, (I)'ll put, (you)'ll put

zła/pać (*perf*), ~ **pię,** ~ **piesz** catch, (I)'ll catch, (you)'ll catch

żyć, żyję, żyjesz live, (I) live, (you) live

Phrases

brać udział take part
po raz pierwszy for the first time

42
Zoo

Państwo Kowalscy postanowili pójść w niedzielę z Jackiem do ogrodu zoologicznego. Kupili w kasie bilety i za chwilę byli już w ogrodzie. Najpierw poszli obejrzeć żubry. Opowiedzieli Jackowi, że żubry żyły dawniej w Polsce na wolności. Dziś można je spotkać tylko w niektórych rezerwatach, na przykład w Puszczy Białowieskiej. Żubr jest wielkim zwierzęciem. Ma rogi i brodę i nie jest bardzo podobny do swojej kuzynki krowy. Żubry bardzo się Jackowi podobały.

photo CAF

Dalej państwo Kowalscy obejrzeli jeszcze inne dzikie zwierzęta: wilki, lisy, lwy i słonie. Lwy leżały na skałach i nie zwracały uwagi na ludzi, a słonie prosiły o coś do jedzenia. Jacek chciał dać słoniowi jabłko, ale dozorca powiedział, że nie wolno karmić zwierząt.

Wreszcie państwo Kowalscy podeszli do klatek z małpami. Małpy były w dobrym humorze i wesoło skakały. Dzieci śmiały się z ich figli. Zmęczeni długim spacerem po zoo państwo Kowalscy wrócili do domu, choć Jacek chciał jeszcze obejrzeć niedźwiedzie przy Trasie W-Z.

Vocabulary

choć (*conjunction*) although
dawniej in the past
dozorca caretaker
dzi/ki, ~ka, ~kie wild
figiel (*pl* **figle**) prank
humor mood
jabłko apple
jedzenie food
kar/mić, ~mię, ~misz feed, (I) feed, (you) feed
klatka cage
kuzyn cousin
kuzynka cousin (a woman)
lis fox
małpa monkey
niedźwiedź bear
niektóre some
opo/wiedzieć (*perf*), **~wiem, ~wiesz** tell, (I)'ll tell, (you)'ll tell
pod/ejść (*perf*), **~ejdę, ~ejdziesz** walk up to, (I)'ll walk up to, (you)'ll walk up to
podobny similar
postano/wić (*perf*), **~wię, ~wisz** decide, (I)'ll decide, (you)'ll decide
prosić, proszę, prosisz beg, (I) beg, (you) beg

puszcza primeval forest
Puszcza Białowieska a forest reserve in the northeast of Poland
rezerwat forest reserve
róg (żubra) horn
skakać, skaczę, skaczesz jump, (I) jump, (you) jump
skała rock
słoń elephant
spotk/ać (*perf*), **~am, ~asz** meet, (I)'ll meet, (you)'ll meet
trasa thoroughfare
Trasa W-Z East-West Thoroughfare
uwaga attention
wilk wolf
wolno, nie wolno (+ *Inf*) it is allowed, it is forbidden
wolność freedom
wró/cić (*perf*), **~cę, ~cisz** come back, (I)'ll come back, (you)'ll come back
zł/y, ~a, ~e bad
zmęczon/y, ~a, ~e (*pl virile form* **zmęczeni**) tired
zoo the zoo
zoologiczny zoological
żubr bison

Phrases

być w dobrym (złym) humorze be in a good/bad mood
ogród zoologiczny (zoo) zoological gardens (the zoo)
zwracać uwagę pay attention

Table 16
DZIKIE ZWIERZĘTA I PTAKI — WILD ANIMALS AND BIRDS

bocian stork	**niedźwiedź** bear	**wąż** snake
foka seal	**orzeł** eagle	**wielbłąd** camel
jaskółka swallow	**paw** peacock	**wilk** wolf
jeż hedgehog	**skowronek** skylark	**wróbel** sparrow
kruk raven	**słoń** elephant	**zebra** zebra
lew lion	**słowik** nightingale	**żaba** frog
lis fox	**sowa** owl	**żubr** bison
małpa monkey	**tygrys** tiger	**żyrafa** giraffe

43
Rozmowa telefoniczna

W mieszkaniu państwa Kowalskich zadzwonił telefon. Jacek podniósł słuchawkę.

— Halo, słucham?

— Dzień dobry, Jacku, mówi Nowakowa. Czy zastałam twoją mamę?

— Dzień dobry pani. Tak, już mamę proszę... Mamo, telefon do ciebie. Dzwoni mama Kasi.

— Halo — mówi pani Anna — dzień dobry, Danusiu.

— Dzień dobry, Aniu. Cieszę się, że cię zastałam. Mam do ciebie bardzo ważną sprawę i koniecznie muszę się z tobą zobaczyć. Czy mogłybyśmy się spotkać w tym tygodniu?

— Naturalnie, bardzo chętnie. Może wpadlibyście do nas? Tylko kiedy? Którego dziś mamy? Zaraz, zajrzę do kalendarza. Dziś jest dwunastego czerwca, poniedziałek. Może w czwartek? Czy moglibyście przyjść do nas z Leszkiem?

— Widzisz, Aniu, Leszek teraz przyjmuje pacjentów w przychodni lekarskiej we wtorek, w czwartek i w sobotę po południu i wraca do domu bardzo zmęczony. Może spotkamy się w piątek?

— Niestety, w piątek mam zebranie w szkole. A co robisz w środę?

— Wybieram się do fryzjera. Wiesz co? Spotkajmy się same, bez mężów, w środę w kawiarni, dobrze?
— Świetnie. A gdzie się spotkamy?
— Może w „Krokodylu" na Rynku Starego Miasta?
— Dobrze, a o której?
— O szóstej.
— No, to umówiłyśmy się wreszcie. A w niedzielę po południu wpadnijcie do nas na kawę, dobrze? My sobie porozmawiamy o naszych sprawach, a mężowie obejrzą mecz w telewizji.
— Dobrze, dziękuję. Do widzenia.
— Do widzenia.

Vocabulary

ciesz/yć się, ~ę, ~ysz be glad, (I) am glad, (you) are glad
halo! hullo!
kalendarz diary
kawiarnia café
koniecznie absolutely
krokodyl crocodile
lekars/ki, ~ka, ~kie doctor's
mecz match
pod/nieść (perf), ~niosę, ~niesiesz pick up, (I)'ll pick up, (you)'ll pick up
przychodnia surgery
przyjm/ować, ~uję, ~ujesz see (patients), (I) see, (you) see
rynek market square

Stare Miasto Old Town
świetnie fine
umó/wić się (perf) make an appointment
ważn/y, ~a, ~e important
wpaść (meaning: przyjść do kogo) (perf), wpadnę, wpadniesz drop in, (I)'ll drop in, (you)'ll drop in
zajrz/eć (perf), ~ę, ~ysz look into, (I)'ll look into, (you)'ll look into
zasta/ć (perf), ~nę, ~niesz find sb at home, (I)'ll find..., (you)'ll find...
zebranie meeting
zobacz/yć się z kim (perf), ~ę, ~ysz see sb, (I)'ll see you (him, her), (you)'ll see...

Table 17

DNI TYGODNIA — DAYS OF THE WEEK

poniedziałek Monday
wtorek Tuesday
środa Wednesday
czwartek Thursday

piątek Friday
sobota Saturday
niedziela Sunday

Notes

Znalazłem w starym notesie
Numery telefonów
Umarłych przyjaciół,
Adresy spalonych domów.
Cyfry nakręcam. Czekam.
Telefon dzwoni.
Ktoś podnosi słuchawkę.
Cisza. Oddech słyszę.
A może szept ognia.

Antoni Słonimski

Vocabulary

cisza silence
cyfra digit
nakręc/ać, ~**am,** ~**asz** dial, (I) dial, (you)
    dial
notes notebook
oddech breath
ogień fire

podnosić pick up
słysz/eć, ~**ę,** ~**ysz** hear, (I) hear, (you)
    hear
spa/lić (*perf*), ~**lę,** ~**lisz** burn, (I)'ll burn,
    (you)'ll burn
szept whisper
umarł/y, ~**a,** ~**e** dead

44
Jak najlepiej wypocząć?

Danuta Nowakowa wróciła z urlopu. Zaraz po przyjeździe spotkała
na ulicy — kogo? — oczywiście swoją serdeczną przyjaciółkę, Annę
Kowalską. Panie się pocałowały, a pani Anna zawołała:
    — Danusiu, jak ty ślicznie wyglądasz! Gdzie się tak opaliłaś? Pewnie
byłaś w Bułgarii nad Morzem Czarnym?
    — Ależ skąd — śmieje się Danusia. — Pojechałyśmy z Kasią nad
nasze polskie morze — nad Bałtyk. I, wyobraź sobie, miałyśmy szczęście:

przez cały miesiąc była piękna, słoneczna pogoda, ani razu nie padał deszcz. Całe dnie spędzałyśmy na plaży, opalałyśmy się, kąpałyśmy się, pływałyśmy. Wróciłyśmy zadowolone i wypoczęte.

— A co robił wtedy Leszek? Czy był z wami?

— Nie, on nie lubi morza. Pojechał w góry z kilkoma kolegami. Codziennie robili długie, piesze wycieczki, czasem nawet nocowali w schroniskach. Wrócili też zadowoleni i wypoczęci. A powiedz mi, Aniu, co wy robiliście latem?

— Jacka wysłaliśmy do dziadków na wieś. Spędził na wsi całe wakacje. A my, to znaczy Janek i ja, pojechaliśmy na Pojezierze Mazurskie. Wzięliśmy kajak, namiot i plecak i wędrowaliśmy po jeziorach. Został nam jeszcze tydzień urlopu i chcemy go wykorzystać w zimie. Pewnie pojedziemy w góry na narty.

— A kiedy się wybieracie i dokąd?

— Chcemy pojechać na wczasy do Zakopanego albo do Karpacza, ale dotychczas nie ustaliliśmy terminu. Najlepiej byłoby pojechać na święta, na Boże Narodzenie albo na Wielkanoc.

— Wiesz co, Aniu — mówi pani Danuta — a może pojedziemy razem w czasie ferii zimowych? Weźmiemy naszych mężów i dzieci

photo T. Zagoździński

110

i spędzimy w górach całe dwa tygodnie. Zobaczysz, że będzie nam wesoło.
— Świetny pomysł! Jedziemy!

Vocabulary

Bałtyk Baltic Sea
Boże Narodzenie Christmas
Bułgaria Bulgaria
codziennie every day
dotychczas until now
dziadkowie (= **babcia** + **dziadek**) grandparents (= grandmother + grandfather)
ferie vacation
góra (*pl* **góry**) mountain (*pl* mountains)
jezioro lake
kajak canoe
Karpacz a mountain resort
morze sea
Morze Czarne Black Sea
najlepiej best (of all)

namiot tent
narta (*pl* **narty**) ski
noc/ować, ~**uję,** ~**ujesz** spend the night
opal/ać się, ~**am,** ~**asz** tan, (I) tan, (you) tan
opa/lić się (*perf*), ~**lę,** ~**lisz** get a tan, (I)'ll get a tan, (you)'ll get a tan
piesz/y, ~**a,** ~**e** walking
plaża beach
plecak rucksack
pocal/ować się (*perf*), ~**uję,** ~**ujesz** kiss, (I)'ll kiss, (you)'ll kiss
Pojezierze Mazurskie lake district in Poland
przyjazd arrival

111

schronisko chalet
spędz/ać, ~am, ~asz spend, (I) spend, (you) spend
spę/dzić (*perf*), ~dzę, ~dzisz spend, (I)'ll spend, (you)'ll spend
ślicznie lovely
świetn/y, ~a, ~e splendid
święto (*pl* święta) holiday
termin date
urlop holiday, leave
ustal/ać, ~am, ~asz fix, (I) fix, (you) fix
usta/lić (*perf*), ~lę, ~lisz fix, (I)'ll fix, (you)'ll fix
wakacje holidays

wczasy holiday
wędr/ować, ~uję, ~ujesz roam, (I) roam, (you) roam
Wielkanoc Easter
wykorzyst/ać (*perf*), ~am, ~asz use, (I)'ll use, (you)'ll use
wykorzyst/ywać, ~uję, ~ujesz use, (I) use, (you) use
wypocz/ąć (*perf*), ~nę, ~niesz have a rest, (I)'ll have..., (you)'ll have...
wypoczęt/y, ~a, ~e rested
zimow/y, ~a, ~e winter (*attrib*)
znacz/yć, ~ę, ~ysz mean, (I) mean, (you) mean

Phrases

ale(ż) skąd! Why, no! nothing of the kind!
mieć szczęście be lucky
słoneczna pogoda sunny weather
spędzać czas (wakacje, ferie) spend time (holidays)
to znaczy that is
ustalić termin fix the date
wykorzystać urlop take a holiday

Table 18
MORZE — SEA

brzeg shore	molo pier	plaża beach
fala wave	morze sea	port port, harbour
ląd land	piasek sand	zatoka bay, gulf

Table 19
GÓRY — MOUNTAINS

dolina valley	jezioro lake	schronisko shelter, rest-house
góra mountain	las forest	szczyt peak
góry mountains	potok stream	wodospad falls
grzbiet ridge	rzeka river	zbocze mountain slope

45

Niech żyje sport!

W poniedziałek inżynier Kowalski przyszedł do pracy trochę później niż zwykle. Kiedy lekko kulejąc wszedł do pokoju, w którym pracuje, koledzy zawołali:

— Janek, co ci się stało?

— Wczoraj przez cały dzień graliśmy z Jackiem w tenisa. Musiałem biegać, skakać, schylać się, padać na ziemię. Dziś nie mogę chodzić, bolą mnie obie nogi, prawe ramię i kark.

— Dobrze ci tak — mówią koledzy inżynierowie. — Niektórzy panowie wychodzą na boisko tylko raz w roku i wydaje im się, że są sportowcami. Prawdziwi sportowcy uprawiają sport systematycznie.

Kowalski czuje się dotknięty:

— Łatwo wam mówić. Ciekaw jestem, kto z was ma czas na regularne uprawianie sportu?

— Przepraszam bardzo! — mówi jeden z kolegów. — Ja chodzę co niedziela na basen i pływam.

— Ja codziennie jeżdżę na rowerze — woła drugi.

— A ja co tydzień gram w siatkówkę! — dodaje trzeci.

Okazało się, że najmłodszy z kolegów gra w piłkę nożną w klubie sportowym, że panna Zosia, maszynistka, jeździ na łyżwach, szef zaś uprawia codziennie gimnastykę poranną.

Pan Jacek dziwi się:

— Nie wyglądacie wcale na sportowców.

— Ale za to dobrze się czujemy — odpowiadają panowie. — Tak, tak, w naszym wieku nie wystarczy raz w roku pojeździć na nartach, albo powiosłować w lecie. Trzeba wykorzystywać każdą wolną chwilę na sport.

Zdaje się, że koledzy przekonali Janka. Po krótkim namyśle mówi:

— Macie rację. Od najbliższej soboty zaczynam systematycznie grać w brydża.

Vocabulary

basen swimming-pool
bliski, bliższy, najbliższy near, nearer, nearest
boisko playing-field
brydż bridge
ciekaw/y, ∼a, ∼e curious
do/dawać, ∼daję, ∼dajesz add, (I) add, (you) add
dotknięt/y, ∼a, ∼e offended
dzi/wić się, ∼wię, ∼wisz be surprised, (I) am surprised, (you) are surprised
gimnastyka gymnastics, aerobics
gr/ać, ∼am, ∼asz play, (I) play, (you) play
jeździć, jeżdżę, jeździsz ride, (I) ride, (you) ride
klub club
kul/eć, ∼eję, ∼ejesz limp, (I) limp, (you) limp
lekko slightly
łyżwa (*pl* **łyżwy**) skate
maszynistka typist
obaj, obie, oba both
ok/azać się (*perf*), **∼ażę, ∼ażesz** appear, (I)'ll appear, (you)'ll appear
piłka nożna football

porann/y, ∼a, ∼e morning (*attrib*)
powiosł/ować (*perf*), **∼uję, ∼ujesz** row, (I)'ll row, (you)'ll row
prawdziw/y, ∼a, ∼e real
praw/y, ∼a, ∼e right
przekon/ać (*perf*), **∼am, ∼asz** convince, (I)'ll convince, (you)'ll convince
ramię (*pl* **ramiona**) shoulder
rower bicycle
schyl/ać się, ∼am, ∼asz bend, (I) bend, (you) bend
siatkówka volleyball
sportowiec sportsman
sportow/y, ∼a, ∼e sports (*attrib*)
systematycznie systematically
szef boss
tenis tennis
uprawi/ać, ∼am, ∼asz practise, (I) practise, (you) practise
wiek (liczba lat) age
wiosł/ować, ∼uję, ∼ujesz row, (I) row, (you) row
zaczyn/ać, ∼am, ∼asz begin, (I) begin, (you) begin
zdawać się, 3 *pers* zdaje się seem, it seems

Phrases

czuć się dotkniętym take offence
dobrze ci tak! it serves you right!
jeździć na łyżwach skate
jeździć na nartach ski
jeździć na rowerze cycle
klub sportowy sports club
padać na ziemię fall to the ground
piłka nożna football, soccer
pojeździć na nartach go skiing
uprawiać sport go in for sport
wydawać się (wydaje im się, że...) be under the impression that...

Table 20
SPORT I TURYSTYKA — SPORT AND TOURISM

basen swimming-pool	**plecak** rucksack
bieg run	**pływanie** swimming
boks boxing	**rzut** throw
kajak canoe	**sanki** sledge
koszykówka basket-ball	**siatkówka** volleyball
łyżwy skates	**skok** jump
narty skis	**tenis** tennis
piłka nożna football	**zapasy** wrestling

46
Coś o profesorach

Profesorowie bywają roztargnieni. Dlatego złośliwi opowiadają o nich różne anegdoty:

Pewien sławny profesor jechał na swój odczyt do małej miejscowości. Kiedy konduktor zaczął sprawdzać bilety, okazało się, że profesor nie może znaleźć swojego biletu.

— Niech pan już nie szuka, panie profesorze. Wierzę panu, że pan wykupił bilet — mówi konduktor.

— Ależ ja muszę znaleźć swój bilet. Muszę wiedzieć, dokąd jadę.

*

— Panie profesorze — zwraca się młody asystent do sławnego profesora-chirurga. Wszystko już gotowe do operacji. Brak tylko pacjenta.

— Nic nie szkodzi — odpowiada profesor — możemy zaczynać bez niego.

*

Profesor Lipski siedzi w gabinecie i pisze. Nagle wpada żona:

— Słuchaj, w twojej bibliotece jest złodziej!!!

— A co czyta? — pyta spokojnie profesor nie przerywając pracy.

Profesor Lipski spotyka na ulicy młodego człowieka:
— Drogi panie Piotrze, jak pan źle wygląda! Bardzo się pan zmienił: niedawno jeszcze miał pan taką zdrową cerę, był pan tęgi, a teraz jest pan taki szczupły i blady.
— Ależ ja nie nazywam się Piotr!
— Ach, więc i imię pan zmienił?

Vocabulary

anegdota anecdote
asystent assistant
biblioteka library
blad/y, ~a, ~e pale
brak (brakuje) (it is) missing
bywać, bywają (they) sometimes/frequently are
chirurg surgeon
gabinet study
konduktor conductor
miejscowość place
niedawno recently
odczyt lecture
operacja surgery
profesor professor

prze/rwać (*perf*), **~rwę, ~rwiesz** interrupt, (I)'ll interrupt, (you)'ll interrupt
przeryw/ać, ~am, ~asz interrupt, (I) interrupt, (you) interrupt
sławn/y, ~a, ~e famous
spokojnie calmly
tę/gi, ~ga, ~gie stout
wpad/ać, ~am, ~asz burst (into), (I) burst, (you) burst
wyku/pić (*perf*), **~pię, ~pisz** buy, (I)'ll buy, (you)'ll buy
złodziej thief
złośliw/y, ~a, ~e malicious
zmie/nić się (*perf*), **~nię, ~nisz** change, (I)'ll change, (you)'ll change

47

Na wsi

Pewnego razu w niedzielę Jan Kowalski wybrał się na wieś, do swoich rodziców.

Rodzice pana Jana mają na wsi kilka hektarów ziemi. W pracy na roli pomaga im młodszy syn, Paweł, który jest uczniem wieczorowego technikum rolniczego.

Janek dawno nie był u rodziców. Wita się serdecznie z matką i z ojcem, pyta: — Jak zdrowie? Co u was nowego? — Ojciec opowiada, że żniwa w tym roku były opóźnione, ale zbiory są dosyć dobre.

— W przyszłym roku — mówi ojciec — nie będę siał ani żyta, ani jęczmienia. Ze wszystkich zbóż najwięcej zebraliśmy pszenicy. Zaraz po żniwach trzeba było orać, a teraz kopiemy kartofle.

— A gdzie Paweł? — pyta Jan.

— Paweł pojechał do kółka rolniczego po traktor — mówi matka.

— Zaraz wróci na obiad.

Po obiedzie dwaj bracia idą na podwórze. Paweł pokazuje starszemu bratu nową stajnię i oborę i mówi, że w przyszłości założy w swoim gospodarstwie dużą hodowlę bydła albo świń. Ma ambitne plany, chce być nowoczesnym rolnikiem.

Potem obaj bracia idą przez łąkę na pole. Jan ze wzruszeniem ogląda miejsca, na których kiedyś jako dziecko razem z kolegami pasł krowy.

Po powrocie do domu Jan żegna się z rodzicami. Matka daje mu dużą paczkę: są to owoce z własnego sadu i świeże warzywa z własnego ogrodu. Starsza pani Kowalska wie, że jej wnuk Jacek bardzo lubi gruszki, a ze śliwek synowa zrobi wspaniały kompot.

Vocabulary

ambitn/y, ~a, ~e ambitious
bydło cattle
dawno long ago
gospodarstwo farm
gruszka pear
hektar hectare
hodowla stock farming, breeding
jako as
jęczmień barley
kompot compote
nowoczesn/y, ~a, ~e progressive
obaj both
obora cowshed
opóźnion/y, ~a, ~e late
orać, orzę, orzesz plough, (I) plough, (you) plough
paść, pasę, pasiesz graze, (I) graze, (you) graze
plan plan
podwórze yard
pok/azać (*perf*), ~ażę, ~ażesz show, (I)'ll show, (you)'ll show

pokaz/ywać, ~uję, ~ujesz show, (I) show, (you) show
pole field
pomag/ać, ~am, ~asz help, (I) help, (you) help
po/móc (*perf*), ~mogę, ~możesz help, (I)'ll help, (you)'ll help
powrót return
przyszłość future
pszenica wheat
rola soil
rolnicz/y, ~a, ~e agricultural
rolnik farmer
sad orchard
siać, sieję, siejesz sow, (I) sow, (you) sow
stajnia stable
synowa daughter-in-law
śliwka plum
świnia pig
technikum technical school
traktor tractor
warzywa vegetables

117

pole

traktor

pług

łąka

obora

chlew

stodoła

wóz

komin

dach

dom

podwórze

płot

wieczorow/y, ~a, ~e evening (*attrib*)
wit/ać, ~am, ~asz greet, (I) greet, (you) greet
witać się exchange a greeting
własny own
wnuk grandson
wzruszenie emotion
założ/yć (*perf*), ~ę, ~ysz start, (I)'ll start, (you)'ll start

zbiór (*pl* zbiory) crop(s)
zboże corn
zebrać (*perf*), zbiorę, zbierzesz reap, (I)'ll reap, (you)'ll reap
żegn/ać, ~am, ~asz say goodbye
żegnać się say goodbye
żniwa harvest
żyto rye

Phrases

kompot ze śliwek, z gruszek plum/pear compote
kopać kartofle lift potatoes
kółko rolnicze agricultural society
pewnego razu w niedzielę one Sunday
praca na roli cultivation of the soil
technikum rolnicze agricultural school

Table 21
NA WSI — IN THE COUNTRY

buda kennel	łąka meadow	pole field
chlew pigsty	obora cowshed	stajnia stable
dach roof	płot fence	stodoła barn
dom house	pług plough	traktor tractor
komin chimncy	podwórze farmyard	wóz cart

48
Przysłowia

— Krowa, która dużo ryczy, mało mleka daje! — rzekł Jędrzej.
— Oj tak, Jędrzeju, oj tak! Tak samo z chmurą i deszczem: z dużej chmury mały deszcz.
Na to Jędrzej:
— Co do deszczu, to jedno wam powiem, Macieju: jaskółka nisko, deszcz blisko.

— Wiem, wiem — powiedział Maciej. — A kożuch? Co z kożuchem?
— Nie zdejmuj! Do Świętego Ducha nie zdejmuj kożucha!
— A po Świętym Duchu? — zapytał Maciej.
— A po Świętym Duchu chodź dalej w kożuchu! — rzekł Jędrzej.
— Bo od świętej Anki chłodne wieczory i ranki.
— A jak Barbara po lodzie, to Boże Narodzenie po wodzie!
— zauważył Maciej.
— A na Grzegorza idzie zima do morza!

From "Awans" by Edward Redliński

Vocabulary

blisko near
chmura cloud
co do as for, concerning, regarding
dawać, daję, dajesz give, (I) give, (you) give
duch ghost
jaskółka swallow
kożuch sheepskin (coat/jacket)
lód ice

mało little
nisko low
oj tak! why, yes!
rycz/eć, ~ę, ~ysz low, (I) low, (you) low
rzekł, (*inf* **rzec**) (he) said
święt/y, ~a, ~e holy
tak samo the same

G l o s s a r y :

Święty Duch *here*: **Dzień Zesłania Ducha Świętego** Descent of the Holy Ghost, *in other words*: **Zielone Świątki** Whitsuntide
święta Anka — dzień św. Anny, 26 lipca St Ann's Day, 26 July
Barbara — dzień św. Barbary, 4 grudnia St Barbara's Day, 4 December
Grzegorz — dzień św. Grzegorza, 12 marca St Gregory's Day, 12 March
po lodzie — sucho (mróz) dry (frost)
po wodzie — mokro (deszcz) wet (rain)

49
Idziemy do teatru

Ten olbrzymi gmach z kolumnami, naprzeciw pomnika Nike na placu Teatralnym w Warszawie, to Teatr Wielki. Podczas powstania warszawskiego w 1944 roku budynek teatru został spalony i całkowicie zburzony. W odbudowanym po wojnie gmachu mieszczą się obecnie dwa teatry: Teatr Narodowy, w którym odbywają się przedstawienia dramatyczne, i Teatr Wielki, w którym oglądamy przedstawienia operowe i baletowe.

Dziś wieczorem pójdziemy do Teatru Wielkiego z państwem Kowalskimi: Pani Anna bardzo lubi operę. Szczególnie chętnie słucha muzyki polskiego kompozytora z XIX wieku — Stanisława Moniuszki. Dziś właśnie grają „Halkę" — opowieść o nieszczęśliwej miłości młodej góralki. Pani Anna szuka na afiszu nazwisk swoich ulubionych śpiewaków.

W szatni rozbieramy się i oddajemy swoje palta szatniarce. Na widowni panuje półmrok. Orkiestra stroi instrumenty. Szukamy swoich miejsc w drugim rzędzie balkonu. Za chwilę obsługa pogasi wszystkie światła, wyjdzie dyrygent, rozlegną się oklaski. Kurtyna pójdzie w górę, na oświetlonej scenie ukażą się dekoracje, soliści i chór.

Pani Anna słucha z przyjemnością swoich ulubionych melodii, płynących ze sceny. Jej mąż woli wprawdzie muzykę współczesną, ale chętnie towarzyszy żonie, bo lubi patrzeć na balet, który dziś wykona słynnego mazura i tańce góralskie.

photo M. Portus

Posłuchajmy, jak młoda śpiewaczka w stroju ludowym śpiewa arię Halki, popularną w całej Polsce:

„Gdyby rannym słonkiem
wzlecieć mi skowronkiem...”*

Vocabulary

afisz poster
aria aria
balet ballet
baletow/y, ~a, ~e ballet (*attrib*)
całkowicie entirely
chór choir
dekoracja scenery
dramatyczn/y, ~a, ~e dramatic
dyrygent conductor
gmach building
góral mountaineer
góralka mountaineer (a woman)
górals/ki, ~ka, ~kie mountain (*attrib*)
grać (*here*: wystawiać) show
„Halka” title of a well-known Polish opera
instrument instrument
kompozytor composer
kurtyna curtain
mazur mazurka
melodia tune
mieścić się be situated
Moniuszko name of a famous Polish composer
muzyka music
Nike monument in Warsaw
obecnie nowadays
obsługa staff
odbud/ować (*perf*), ~uję, ~ujesz rebuild, (I)'ll rebuild, (you)'ll rebuild
od/dawać, ~daję, ~dajesz give, (I) give, (you) give

oklaski applause
olbrzym/i, ~a, ~e huge
opera opera
operow/y, ~a, ~e opera(*attrib*)
opowieść tale
orkiestra orchestra
oświetlon/y, ~a, ~e lit up
palto coat
plac Teatralny square in front of the opera-house
pły/nąć, ~nę, ~niesz flow, (I) flow, (you) flow
podczas during
po/gasić (*perf*), ~gaszę, ~gasisz put out (the lights), (I)'ll put out, (you)'ll put out
popularn/y, ~a, ~e popular
posłuch/ać (*perf*), ~am, ~asz listen, (I)'ll listen, (you)'ll listen
powstanie uprising
półmrok semidarkness
przyjemność pleasure
rozbier/ać się, ~am, ~asz take off sth (*eg* a coat), (I) take sth off, (you) take sth off
rozlec się (*perf*), 3 pers rozlegnie się ring out, (it)'ll ring out
rozlegać się, 3 pers rozlega się ring out, (it) rings out
rozpocz/ąć (*perf*), ~nę, ~niesz begin, (I)'ll begin, (you)'ll begin
rząd row
scena stage

---

* rannym słonkiem — rano, gdy zacznie świecić słońce in the morning, when the sun rises
gdyby... wzlecieć mi — gdybym mogła wzlecieć if I could fly up
skowronkiem — jak skowronek like a skylark

słonko (*dim*) sun
słynn/y, ~a, ~e well-known
solista (*pl* soliści) soloist
solistka soloist (a woman)
stroić, stroję, stroisz tune, (I) tune, (you) tune
strój costume
szatnia cloak-room
szatniarka cloak-room attendant (a woman)
szatniarz cloak-room attendant
śpiewaczka singer (a woman)
śpiewak singer
taniec dance
Teatr Wielki opera-house in Warsaw

teatraln/y, ~a, ~e theatrical
towarzysz/yć, ~ę, ~ysz accompany, (I) accompany, (you) accompany
ulubion/y, ~a, ~e favourite
uwertura overture
warszaws/ki, ~ka, ~kie Warsaw (*attrib*)
widownia audience, house
wojna war
wprawdzie to be sure
wykon/ać (*perf*), ~am, ~asz perform, (I)'ll perform, (you)'ll perform
wzlecieć (*perf*), wzlecę, wzlecisz fly up, (I)'ll fly up, (you)'ll fly up
zburz/yć (*perf*), ~ę, ~ysz destroy, (I)'ll destroy, (you)'ll destroy

Phrases

kurtyna idzie (poszła) w górę the curtain rises (rose)
melodie płyną ze sceny tunes flow from the stage
na widowni panuje półmrok the house is in semidarkness
rozlegają się oklaski (na widowni) applause rings out (from the audience)
stroić instrumenty tune up
strój ludowy folk costume

Poem 9

Wieczór w Teatrze Wielkim
(excerpts)

Gdy zegar na Ratuszu o ósmej wieczorem
Wydzwania melodyjnie przedstawienia porę,
Widzę Plac Teatralny, oświetlony falą
Lamp owianych jesienią, jak pożółkły salon,
Słyszę turkot dorożek i dzwonki tramwajów,
I głos chłopców, co we drzwiach afisze sprzedają,
I oczy od Ratusza ku filarom zwracam
I jak cień tam wyrastam, i jak cień powracam.

Już późno. Już się spóźnię. Już biegnę ostatni.
Rzucam szatniarce w biegu stare palto w szatni.
Już światła pogaszone. Opera zaczęta.
Myślałem, żem zapomniał. Ale wciąż pamiętam.

Ktoś śpiewa w mroku arię. Pachną zżółkłe plusze
I pył od sceny płynie, wirując w ciemności.
Chcę słuchać. Lecz nie mogę. Lecz wspominać muszę
Na poddaszach melodii wśród kurzów młodości. [...]

Miły Teatrze Wielki, domowy teatrze,
Gdzie są filary twoje, tak pogodne zawsze?
Gdzie schody staroświeckie i złocone rampy,
Oświetlone poezją secesyjnej lampy?
Gdzie fotele pluszowe i barwne afisze,
I półmrok, w którym skrzypiec strojenie wciąż słyszę,
I kurtyna z maskami, które kryły lico
Jakichś bóstw, co na zawsze będą tajemnicą.
Chodzę po twoich zgliszczach, przystaję, wspominam,
Grzebię się wśród popiołów, szukam po ruinach...

Wiatr nad nami kołysze namiętnie i dziko,
I opada powoli, jak szloch...
                    Płacz muzyko!

Stanisław Baliński

photo M. Portus

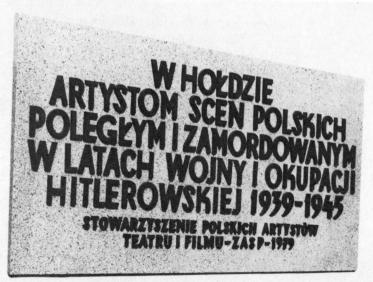

Vocabulary

barwn/y, ~a, ~e colourful
biec, biegnę, biegniesz run, (I) run, (you) run
bieg run
bóstwo deity
ciemność darkness, the dark
domow/y, ~a, ~e home (*attrib*)
dorożka cab
dziko wildly
filar pillar
grze/bać się, ~bię, ~biesz rummage, (I) rummage, (you) rummage
koł/ysać, ~yszę, ~yszesz sway, (I) sway, (you) sway
kryć, kryję, kryjesz conceal, (I) conceal, (you) conceal
ku towards
kurz dust
lico face
maska mask
melodyjnie melodiously
młodość youth
mrok dimness
namiętnie passionately
opad/ać, ~am, ~asz sink, (I) sink, (you) sink
owian/y, ~a, ~e swept-over
pach/nieć, ~nę, ~niesz smell, (I) smell, (you) smell
plusz plush
pluszow/y, ~a, ~e plushy
poddasze attic
poezja poetry
pogodny calm, tranquil
popiół ash

powoli slowly
powrac/ać, ~am, ~asz return, (I) return, (you) return
pożółkł/y, ~a, ~e yellowed
przy/stawać, ~staję, ~stajesz pause, (I) pause, (you) pause
rampa footlights
ratusz town hall
ruina ruin
rzuc/ać, ~am, ~asz throw, (I) throw, (you) throw
salon drawing room
secesyjn/y, ~a, ~e fin-de-siecle (*attrib*)
skrzypce violin
sprze/dawać, ~daję, ~dajesz sell, (I) sell, (you) sell
staroświec/ki, ~ka, ~kie old-fashioned
szloch sobbing
światła lights
tajemnica mystery
turkot rumble
wir/ować, ~uję, ~ujesz swirl, (I) swirl, (you) swirl
wspomin/ać, ~am, ~asz remember, (I) remember, (you) remember
wśród among
wydzwani/ać, ~am, ~asz chime, (I) chime, (you) chime
wyrast/ać, ~am, ~asz grow, (I) grow, (you) grow
zegar clock
zgliszcza burnt-out ruins
złocon/y, ~a, ~e gilded
zżółkł/y, ~a, ~e yellowed

Phrases

na zawsze for ever
w biegu on the run
zwracać oczy ku... turn the eyes towards...

50
Dom Jana Matejki

Jan Matejko (1838—1893) był wielkim polskim malarzem. Malował przede wszystkim obrazy historyczne. Żyjąc w czasach niewoli chciał swojemu narodowi przypomnieć jego świetną przeszłość. Przedstawiał na swych obrazach wielkie chwile z historii narodu polskiego.

Jego dom rodzinny, w którym urodził się, żył i umarł, to zabytkowa kamienica z XVI wieku przy ulicy Floriańskiej 41 w Krakowie. W domu tym jest obecnie muzeum, gdzie znajdują się pamiątki po Matejce.

Matejko przez całe swoje życie gromadził różne przedmioty, które były mu potrzebne w jego pracy malarza. Zbierał stare tkaniny, dawne stroje, historyczną broń, wyroby rzemiosła artystycznego.

W domu Jana Matejki znajdują się też bogate zbiory rysunków i szkiców artysty oraz część jego obrazów. Najsławniejsze jednak płótna wielkiego malarza nie mogą być wystawione w jego dawnym domu, bo nie zmieściłyby się w żadnym pokoju. Rozmiary historycznych obrazów

photo CAF

Matejki, takich jak: Bitwa pod Grunwaldem, Sobieski pod Wiedniem, Konstytucja 3 Maja, są tak wielkie, że zajmują one całe ściany w olbrzymich salach muzealnych.

Vocabulary

artysta artist
artystka artist (a woman)
artystyczn/y, ~ a, ~ e artistic
bitwa battle
bogat/y, ~ a, ~ e rich
część part
dawn/y, ~ a, ~ e old
groma/dzić, ~ dzę, ~ dzisz collect, (I) collect, (you) collect
Grunwald historical battlefield (in 1410)
historyczn/y, ~ a, ~ e historical
kamienica tenement-house
mal/ować, ~ uję, ~ ujesz paint, (I) paint, (you) paint
muzealn/y, ~ a, ~ e museum (*attrib*)
muzeum museum
niewola captivity
pamiątka remembrance
płótno canvas
potrzebn/y, ~ a, ~ e necessary
przede wszystkim first and foremost
przedmiot object
przeszłość past

przypom/nieć (*perf*), ~ nę, ~ nisz remind, (I)'ll remind, (you)'ll remind
rzemiosło craft
sala hall
Sobieski name of a Polish king
szkic sketch
ściana wall
tkanina fabric
umrzeć (*perf*), umrę, umrzesz die, (I)'ll die, (you)'ll die
Wiedeń Vienna
wyrób article
wysta/wić (*perf*), ~ wię, ~ wisz exhibit, (I)'ll exhibit, (you)'ll exhibit
zajm/ować, ~ uję, ~ ujesz take up (space), (I) take up, (you) take up
zbier/ać, ~ am, ~ asz collect, (I) collect, (you) collect
zbiory (*here*: **kolekcja**) collection
zmieścić się (*perf*), **nie zmieszczą się (w pokoju)** go into; (they) won't go into (a room)
znajdują się (they) are there, (they) can be found
żaden, żadna, żadne no; not any

Poem 10

Gawęda o miłości ziemi ojczystej
(excerpt)

Bez tej miłości można żyć,
mieć serce suche jak orzeszek,
malutki los naparstkiem pić
z dala od zgryzot i pocieszeń,
na własną miarę mieć nadzieję,
w mroku kryjówkę sobie uwić,

127

o blasku próchna mówić „dnieje",
o blasku słońca nic nie mówić.

Jakiej miłości brakło im,
że są jak okno wypalone,
rozbite szkło, rozwiany dym,
jak drzewo z nagła powalone,
które za płytko wrosło w ziemię,
któremu wyrwał wiatr korzenie
i jeszcze żyje cząstką czasu,
ale już traci swe zielenie
i już nie szumi w chórze lasu?

Ziemio ojczysta, ziemio jasna,
nie będę powalonym drzewem.
Codziennie mocniej w ciebie wrastam
radością, smutkiem, dumą, gniewem.
Nie będę jak zerwana nić.
Odrzucam pustobrzmiące słowa.
Można nie kochać cię — i żyć,
ale nie można owocować. [...]

Wisława Szymborska

Vocabulary

blask sheen
braknąć, *3 pers* **braknie** be wanting, (it) is
  wanting
cząstka (*dim*) part
dnieć, *3 pers* **dnieje** dawn, (it) is dawning
duma pride
dym smoke
gawęda tale
gniew anger
korzeń root
kryjówka hiding-place
las forest
los fate
malut/ki, ~ **ka,** ~ **kie** tiny
miara measure
mocno firmly

nadzieja hope
naparstek thimble
nić thread
odrzuc/ać, ~ **am,** ~ **asz** repudiate, (I) repudiate, (you) repudiate
ojczyst/y, ~ **a,** ~ **e** native
orzech nut
orzeszek (*dim*) nut
owoc/ować, ~ **uję,** ~ **ujesz** bear fruit
płytko not deep
pocieszenie consolation
pociesz/yć (*perf*), ~ **ę,** ~ **ysz** comfort, (I)'ll
  comfort, (you)'ll comfort
powa/lić (*perf*), ~ **lę,** ~ **lisz** fell, (I)'ll fell,
  (you)'ll fell
próchno dry rot

pustobrzmiąc/y, ~ a, ~ e empty (of meaning)
radość joy
roz/bić (*perf*), ~ biję, ~ bijesz break, (I)'ll break, (you)'ll break
roz/wiać (*perf*), ~ wieję, ~ wiejesz blow away, (I)'ll blow away, (you)'ll blow away
słowo word
uwić (*perf*), **uwiję, uwijesz** make (a nest, a shelter)
wrast/ać, ~ am, ~ asz become (deeply) rooted

wrosnąć take root
wypa/lić (*perf*), ~ lę, ~ lisz burn out
wypalony burnt-out
wy/rwać (*perf*), ~ rwę, ~ rwiesz pull out, (I)'ll pull out, (you)'ll pull out
wyryw/ać, ~ am, ~ asz pull out, (I) pull out, (you) pull out
z dala far away from
ze/rwać (*perf*), ~ rwę, ~ rwiesz sever, (I)'ll sever, (you)'ll sever
zgryzota worry
zieleń verdure
z nagła all of a sudden

Jeszcze Polska nie zginęła
The national anthem (1797)

Lyrics: **Józef Wybicki**   Unknown composer

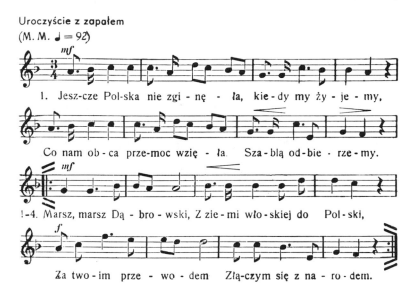

Uroczyście z zapałem
(M. M. ♩ = 92)

1. Jesz-cze Pol-ska nie zgi - nę - ła, kie - dy my ży - je - my,

Co nam ob - ca prze-moc wzię - ła. Sza - blą od - bie - rze - my.

!-4. Marsz, marsz Dą - bro - wski, Z zie - mi wło-skiej do Pol - ski,

Za two - im prze - wo - dem Złą-czym się z na - ro - dem.

Jeszcze Polska nie zginęła,
Kiedy my żyjemy,
Co nam obca przemoc wzięła,
Szablą odbierzemy.

Marsz, marsz, Dąbrowski,
Z ziemi włoskiej do Polski!
Za twoim przewodem
Złączym się z narodem.

Przejdziem Wisłę, przejdziem Wartę,
Będziem Polakami,
Dał nam przykład Bonaparte,
Jak zwyciężać mamy.

Marsz, marsz...

Warszawianka

Music: **Karol Kurpiński**
Lyrics: **translated by Karol Sienkiewicz**

The song written by the French poet Casimir Delavigne on hearing the news of the uprising in Poland in 1831.

Energicznie
(M. M. ♩ = 90)

1. O - to dziś dzień krwi i   chwa - ły,   O - by
W gwia-zdę Pol - ski O - rzeł   Bia - ły,   Pa - trząc,

Jniem wskrze-sze - nia był, oby był, A na - dzie - ją pod - nie-
lot swój w nie - bo wzbił, lot swój wzbił,

ca-ny,   Wo-la   na nas z górnych stron, z górnych stron: Powstań

Pol-sko, skrusz kaj - da - ny,   Dziś Twój tri-umf al - bo

zgon, albo zgon! Hej, kto   Po - lak na ba - gne - ty! Żyj swo-

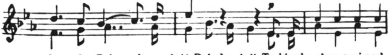

bo - do, Pol - sko żyj! Pol-sko żyj! Ta-kim ha-słem cnej pod-

nie - ty Trą-bo na-sza wro - gom grzmij, wro-gom grzmij,

Trą-bo na - sza wro - gom grzmij! wro-gom grzmij!

Oto dziś dzień krwi i chwały,
Oby dniem wskrzeszenia był!
W gwiazdę Polski Orzeł Biały
Patrząc lot swój w niebo wzbił.

A nadzieją podniecany,
Woła do nas z górnych stron:
Powstań, Polsko, skrusz kajdany,
Dziś twój tryumf albo zgon.

Hej, kto Polak, na bagnety!
Żyj, swobodo, Polsko, żyj!
Takim hasłem cnej podnicty,
Trąbo nasza, wrogom grzmij!

Ostatni mazur

(1830 r.)

Lyrics: **Ludwik Łubiński**   Folk tune

Tempo mazura
(M. M. ♩ = 90)

1. Je - szcze je - den ma - zur dzi - siaj, choć po - ra - nek świ - ta Czy po-zwo-li pan - na Kry-sia, mło - dy u - łan py - ta. I nie - dłu - go bła - ga, pro - si, boć to w pol-skiej zie - mi, W pierw - szą pa - rę ją u - no - si, a sto par za ni - mi. W pierw-szą pa - rę ją u - no - si, a sto par za ni - mi.

Jeszcze jeden mazur dzisiaj,
Choć poranek świta,
Czy pozwoli panna Krysia,
Młody ułan pyta.

I niedługo błaga, prosi,
Boć to w polskiej ziemi.
W pierwszą parę ją unosi,
A sto par za nimi.

On jej czule szepcze w uszko,
Ostrogami dzwoni,
W pannie tłucze się serduszko
I liczko się płoni.

Cyt, serduszko, nie płoń liczka,
Bo ułan niestały,
O pół mili wre potyczka,
Słychać pierwsze strzały.

Słychać strzały, głos pobudki,
Dalej na koń, hurra!
Lube dziewczę, porzuć smutki,
Zatańczym mazura.

Jeszcze jeden krąg dokoła,
Jeden uścisk bratni,
Trąbka budzi, na koń woła,
Mazur to ostatni.

Ej, przeleciał ptaszek

Folk song

Music: **Tadeusz Sygietyński**

1. Ej, przeleciał pta-szek ka-li-no-wy la-sek,
si-we piórka na nim za-drża-ły. Nie płacz ty dziewczy-no, nie płacz ty je-dy-na,
a-lbo ci to świat ma - ły. Szumi gaj, szumi gaj, szumi ga-łą-ze-czka,

Ej, przeleciał ptaszek kalinowy lasek,
Siwe piórka na nim zadrżały.
Nie płacz ty, dziewczyno, nie płacz ty, jedyna,
Albo ci to świat mały?

    Szumi gaj, szumi gaj, szumi gałązeczka,
    Żółte listki z drzewa padają. Ej, padają!
    Zabrali mi chłopca, a ja w świecie obca,
    Inszego* mi rodzice rają.

Nie przybędziesz do mnie ani ja do ciebie,
Nie doleci do ciebie mój głos. Nie doleci!
Smutne życie moje, kiedy nie we dwoje,
Smutny mój — bez ciebie — smutny los.

---

* Inszego = Innego

Płonie ognisko

Lyrics and music: **Jerzy Braun**

Umiarkowanie
(M. M. ♩ = 120)

1. Pło-nie o-gni-sko i szu-mią knie-je, dru-ży
no-wy jest wśród nas. O-po-wia-da sta-ro-
da-wne dzie-je, Bo-ha-ter-ski wskrze-sza czas.
O ry-cer-stwie spod kre-so-wych sta-nic, O o-
broń-cach na-szych pol-skich gra-nic, A po-nad na-mi wiatr szum-ny
wie-je i dę-bo-wy hu-czy las.

Płonie ognisko i szumią knieje,
Drużynowy jest wśród nas.
Opowiada starodawne dzieje,
Bohaterski wskrzesza czas.

O rycerstwie spod kresowych stanic,
O obrońcach naszych polskich granic,
A ponad nami wiatr szumny wieje
I dębowy huczy las.

Już do odwrotu głos trąbki wzywa,
Alarmują ze wszech stron;
Staje wiara w ordynku szczęśliwa,
Serca biją w zgodny ton.

Każda twarz się uniesieniem płoni,
Każdy laskę krzepko dzierży w dłoni,
A z młodzieńczej się piersi wyrywa
Pieśń potężna, pieśń jak dzwon.

Góralu, czy ci nie żal?

Lyrics: **Michał Bałucki**

Folk tune

Wolno, w tempie kołysanki.

1. Gó - ra - lu, czy ci nie żal___ Od-
1. cho - dzić od stron oj - czy-stych, Świerko - wych la - sów i
1. hal I tych po - to - ków przej-rzy - stych? Gó-
1—4. ra - lu, czy ci nie żal? Gó - ra - lu, wróć się do hal!___

Góralu, czy ci nie żal,
Odchodzić od stron ojczystych,
Świerkowych lasów i hal
I tych potoków przejrzystych?

Góralu, czy ci nie żal?
Góralu, wróć się do hal!

A góral w góry spoziera
I łzy rękawem ociera.
I góry porzucić trzeba
Dla chleba, panie, dla chleba.

Góralu, czy ci nie żal?
Góralu, wróć się do hal!

On zwiesił głowę i wzdycha
Oj, doloż moja — rzekł z cicha.
I matkę porzucić trzeba
Dla chleba, panie, dla chleba.

Góralu, czy ci nie żal?
Góralu, wróć się do hal!

Upływa szybko życie...

Lyrics: **Franciszek Leśniak**

Niezbyt wolno.

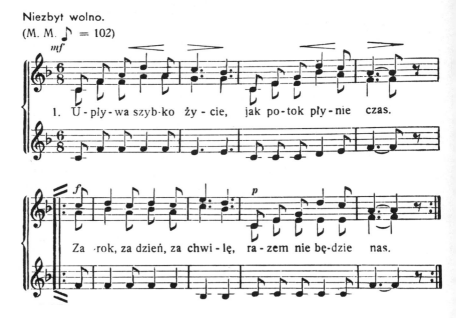

Upływa szybko życie,
Jak potok płynie czas,
Za rok, za dzień, za chwilę
Razem nie będzie nas.

A nasze młode lata
Upłyną szybko w dal,
A w sercu pozostanie
Tęsknota, smutek, żal...

Więc póki młode lata,
Póki szczęśliwi my,
Niechaj przynajmniej teraz
Nie płyną z oczu łzy.

Index

This index contains about 2000 words chosen from the basic vocabulary of 5000 words. Numbers indicate the text in which the word occurs for the first time. Indentation and letters (P and T) mark this part of the vocabulary which goes beyond the 2000 words minimum and which is found either in the poetic texts (marked with the letter P) or in the tables extending the vocabulary range (marked with the letter T).

149

WIEDZA
POWSZECHNA

Prowadzimy sprzedaż wysyłkową.

Książki można zamawiać
telefonicznie, faksem,
listownie i w Internecie.

● **księgarnia wysyłkowa**
Al. Prymasa Tysiąclecia 60/62, 01-424 Warszawa
tel./fax: (0-22) 877 17 42
● **księgarnia internetowa**
www.wiedza.pl

Zamówienia realizujemy za zaliczeniem pocztowym.
Jeśli wartość zamówienia przekracza 150,00 zł,
koszt opłaty pocztowej pokrywa Wydawnictwo.

Prowadzimy również sprzedaż kaset Polskich Nagrań
do naszych podręczników.